La SAGESSE *du* ZEN

Dans la même collection :

La Sagesse du Coran

La Sagesse du Soufisme

La Sagesse de l'Hindouisme

La Sagesse du Bouddhisme

La Sagesse du Judaïsme

La Sagesse du Tao

La
SAGESSE
du
ZEN

Textes compilés par Roger England et Anne Bancroft

Traduit de l'anglais par Bernard Dubant

ÉDITIONS VÉGA
65, rue Claude-Bernard
75005 PARIS

Titre original : *The Wisdom of Zen*

Publié par Oneworld Publications

ISBN : 2-85829-324-4

www.tredaniel-courrier.com
tredaniel-courrier@wanadoo.fr

SOMMAIRE

INTRODUCTION

LA SATISFACTION personnelle est tout ce qui semble important, de nos jours. Si l'on se tient en retrait un moment, on peut voir les gens qui essaient de se satisfaire en courant après l'amour, la joie, la richesse, le pouvoir – même en s'acharnant à survivre. Mais il apparaît très clairement que plus on s'accroche à la vie, plus vite elle glisse entre les mains, et moins le profond mystère de l'existence peut être compris. De l'eau tirée d'un ruisseau n'est plus de l'eau vive, car elle cesse de couler. Le Zen soutient que la vie, comme l'eau, ne peut être saisie ; on ne peut trouver une réalisation, une satisfaction véritable, et la vie réelle, qu'en lâchant prise de ce qui est voué à passer.

Aussi le Zen est-il un état de vivacité et de fluidité. Il n'a pas de doctrine. Il est fondé sur une expérience de la réalité qui se trouve au-delà de tous les concepts et doctrines. En cela, le zen suit le point de vue du Bouddha, et il se considère comme un représentant fidèle de sa 'vision'. Mais s'il n'a pas de doctrine, le Zen a des méthodes d'enseignement et des techniques de méditation. Nombreux sont ceux, de nos jours, qui, en Occident, les pratiquent, aidés par des instructeurs et des maîtres zen. La contribution exceptionnelle du Zen à la spiritualité, c'est sa constance à présenter les choses 'juste comme elles sont', dans toute leur splendeur vivante : 'Ne pas dépendre des mots – vision directe de la réalité'.

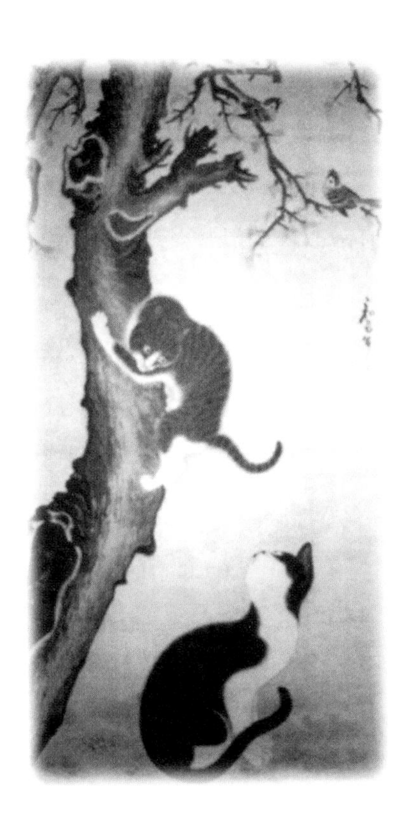

Ainsi, le Zen se propose de montrer la vie, plutôt que d'en parler. Quand le Zen 'parle', il présente la réalité, non pas avec des explications logiques, mais des propos simples et paradoxaux, qui, pour l'auditeur 'logique', sont un non-sens total. Le Zen désigne la réalité, sans la recouvrir de concepts – la réalité est non conceptuelle. Parfois, le zen doit saper des préjugés profondément enracinés, de façon drastique, car, chaque fois que nous le pouvons, nous nous cramponnons aux façons 'confortables' de penser.

Le zen est une voie bouddhiste, (vision de la vacuité), un prolongement de l'école de la Voie du Milieu. Le patriarche bouddhiste indien Bodhidharma en est le fondateur, qui se rendit en Chine en 527. *Dhyana*, le mot sanskrit qui signifie 'méditation', devint *Ch'an* en chinois, et, plus tard, au XIIe s., *Zen* au Japon. Le bouddhisme *Ch'an* connut une expansion importante en Chine entre le VIIe s. et le XIIIe s. À partir du XIVe s., le Japon devient le principal centre de rayonnement. Le Zen pénétra profondément la mentalité japonaise, exerçant une influence sur le gouvernement, la poésie et les arts, l'art de l'épée, les samouraï, la cérémonie du thé, l'art des bouquets, le tir à l'arc, etc.

Les fondements du Zen sont constants. Comme tous les courants bouddhistes, il se fonde sur la 'réalisation' de Siddharta Gautama, devenu le Bouddha [l'Éveillé, l'Illuminé], par extinction (*nirvâna*) de l'illusion. Mais le Zen ne fait aucune référence spéciale à un 'fondateur' – si le Bouddha est le Bouddha, il a 'disparu' – et n'est pas même apparu – en tant que fondateur, et l'un des principaux maîtres du Ch'an, Lin Tsi, déclare que, pour s'en tirer, il convient de tuer le Bouddha, les patriarches, et tous ces concepts. Le Zen est ainsi la pure voie du 'buddha-dharma', la vision du visage originel, la 'Vision dans sa propre Nature' – Juste Ceci. La transmission s'est faite de maître à disciple, transmission d'Esprit à Esprit, de non-mental à non-mental, car ce qui est transmis ne peut être 'saisi' – et il n'est transmis que lorsqu'il n'y a plus 'personne' pour le saisir. Parce que les mots ne peuvent véhiculer la moindre réalité, le Zen ne se fonde pas sur les «Écritures», ce qui, bien sûr, n'empêche pas des références, parfois déroutantes.

Le Zen 'moderne' se présente sous des aspects divers, mais il a conservé, c'est heureux, cette insistance sur la désignation directe, au lieu du discours. Les maîtres modernes, dont les plus éminents sont les descendants de la lignée Rinzaï (Lin Tsi) et Soto (Dogen), montrent la réalité, au lieu d'en parler, et incitent leurs disciples à se débarrasser du voile 'dualiste' qui les empêche de la voir. Les anciennes pratiques du Zen restent toujours en usage, y compris les '*koan*', ces déclarations paradoxales, qui ont pour effet de détruire la réité pour montrer la vacuité.

> Un disciple assidu et instruit du nom de Basho vint voir un maître zen. Le maître l'écouta poliment exposer toute la compréhension du Zen qu'il avait tirée de ses études.
>
> 'Vous avez certainement étudié durement, et bien', dit le maître. 'Mais tout ce que j'ai entendu jusqu'à présent, ce sont

des paroles d'autres gens. Me donnerez-vous maintenant quelque chose qui soit à vous, qui vienne de vous ?'

Basho était perplexe. De lui-même ? Que pouvait-il dire ? Le temps passait, et il ne pouvait penser à rien. Le maître attendait patiemment, mais Basho ne pouvait articuler un mot. Dans la quiétude du jardin, une grenouille sauta dans un bassin.

'Ah ! Le splash !, s'exclama Basho.

– C'est cela, dit le maître en riant. C'est quelque chose qui vient vraiment de vous-même !'

Le Zen est un enseignement à vivre plutôt qu'à étudier – l'étude ne peut donner la voie. Ce livre a pour dessein d'illustrer les méthodes et les vues des maîtres et des disciples, et les échanges vifs, qui, soudain, illuminent.

QU'EST-CE QUE LE ZEN ?

L'ENSEIGNEMENT DU ZEN est censé remonter au Bouddha, alors qu'il était au Parc des Vautours, faisant ses sermons quotidiens pour ses disciples. Un matin, il arriva, et vit douze cents personnes assises, attendant qu'il parle. Il s'assit devant eux en silence. Enfin, toujours sans mot dire, il brandit une fleur. Personne ne saisit ce geste, à l'exception d'un homme, qui sourit, ayant compris qu'aucun mot ne pourrait se substituer à la fleur vivante. Le Bouddha dit : 'Voici la Voie véritable, et je vous la transmets'. Il montra ainsi que l'expérience immédiate de l'existence – l'expérience de l'ici et du maintenant – est une connaissance mystique profonde. Le monde phénoménal est considéré dans son 'ainsité', sans la projection d'un 'moi'.

ANNE BANCROFT, *Zen : Direct Pointing to Reality*

LE ZEN est : être en contact avec les œuvres de la vie
LE ZEN est : la vie qui sait qu'elle vaut la peine d'être vécue
LE ZEN est : ce moment parlant comme temps, et comme éternité
LE ZEN est : voir dans la nature des choses en moi, et hors de moi
LE ZEN est : quand tous les êtres vivants de la Terre ouvrent grands les yeux et me regardent dans les yeux.

FREDERICK FRANCK, *The Zen of Seeing*

Le Zen n'a pas de métaphysique – le Zen veut échapper à l'entreprise inutile consistant à emprisonner la vie dans un filet métaphysique, au lieu simplement de la vivre.

BRUCE LEE, *Striking Thoughts*

Les écrivains japonais font généralement la distinction entre Zen et bouddhisme Zen. Celui-ci est une religion contenant une doctrine, une philosophie de la vie, et des axiomes pour sa pratique ; celui-là, en revanche, 'est'. Il est entièrement centré sur l'illumination, le *satori*, dont nul ne peut parler qui n'en ait eu l'expérience – et encore, dans ce cas, il n'y a guère à dire. Il foudroie le mental comme un éclair ; il est 'un instant crucial dans une vie', une 'révolution mentale', 'un baptême de feu de l'esprit', mais son contenu est inexprimable en langage humain. Les descriptions données par les maîtres Zen ne sont pas sans ressemblance avec le rayon de lumière spectrale qui perce le nuage de l'inconnu. Mais le Zen est séparé de tous les modèles idéels, de toutes les philosophies de la vie, de tous les dogmes religieux – selon le Dr Suzuki, il ne relève pas non plus du mysticisme. Et à cause de son éloignement de toute religion, il peut être pratiqué (et il est pratiqué) par des gens qui n'ont aucune allégeance envers le bouddhisme Zen : il est pratiqué par toutes sortes de gens, des athées aux prêtres catholiques.

WILLIAM JOHNSTON, *The Mysticism of the Cloud of Unknowing*

SI VOUS VOULEZ comprendre le Zen, comprenez-le directement, sans délibération, sans tourner votre regard vers ceci ou cela. Car tandis que vous faites cela, l'objet que vous avez cherché n'est plus là. Cette doctrine de la 'saisie' immédiate est caractéristique du Zen. Le Zen nous apprend à aller au-delà de la logique et à ne pas nous attarder quand nous nous heurtons aux 'choses qui ne sont pas vues.'

D. T. SUZUKI, *Zen Doctrines of No Mind*

OUVRIR NOS CŒURS, clarifier notre manière de considérer les choses, les voir avec fraîcheur, de façon vivante, claire, sans tout ce qu'on leur surimpose. Percevoir quelque chose et dire : 'Ah ! Je n'ai jamais vu cela auparavant'. Après cinq jours de pratique, voir les aiguilles des pins scintiller. Toujours, elles ont scintillé. C'est simplement que vous n'avez pas été assez éveillé pour voir cela. C'est Zen.

MAURINE STUART in *Meetings with Remarkable Women*,
Lenore Friedman

Le Zen est venu d'Inde en Chine, en 527 avec le moine Bodhidharma. Il fut reçu par l'empereur Wu qui suivait déjà le Buddhadharma, et qui était très désireux que ce moine renommé approuve ses œuvres de dévotion. Aussi demanda-t-il à Bodhidharma :

'J'ai fait construire des temples, copier des Écritures sacrées, et j'ai présidé à la conversion de moines et de nonnes. Maître très vénéré, y a-t-il quelque mérite dans ma conduite ?

– Aucun mérite.'

Cette réponse déconcerta l'empereur. Il avait l'impression que tout ce à quoi il croyait était sens dessus dessous. Il demanda :

'Quelle est alors la sainte vérité, le principe premier ?

– Vaste vacuité, sans rien de saint dedans.

– Qui êtes-vous, alors, qui vous tenez devant moi ?

– Je ne sais pas, votre Majesté'.

D. T. SUZUKI, *Zen Doctrines of No Mind*

Le Zen ne quitte jamais ce monde factuel. Le Zen vit toujours au cœur des réalités. Il n'appartient pas au Zen de se tenir séparé et éloigné d'un monde de noms et de formes.

D. T. SUZUKI, *Zen and Japanese Culture*

UNE TRANSMISSION spéciale en dehors des Écritures ;
Pas de dépendance envers les mots et les lettres ;
Montrer directement le mental de l'homme ;
Voir dans sa propre nature.

D. T. SUZUKI, *Studies in Zen*

CE N'EST PAS que le Zen soit dépourvu de philosophie et d'histoire ; à l'évidence, il en a. Mais cette histoire et cet arrière-plan, objets de réflexion discursive, n'aident aucunement à l'obtention de l'illumination, qui ne peut être réalisée que si l'on 'montre directement l'âme'.

WILLIAM JOHNSTON, *The Still Point*

QUE LE 'soi' s'avance
Pour confirmer les dix mille choses
Est illusion.

Que les dix mille choses s'avancent
Pour confirmer le 'soi'
Est illumination.

DOGEN in *Studies in Zen*, D. T. Suzuki

APRÈS LE CHANT du printemps, 'Vaste vacuité, pas de sainteté',
Vient le chant du vent de neige le long du Fleuve Yangtze.
Le soir je joue de la flûte sans notes de Shorin,
Perçant de sa musique les montagnes – le fleuve.

L. STRYCK, *Zen : Poems, Prayers, Sermons, Anecdotes, Interviews*

LA CONSCIENCE de l'Être est le secret par lequel on éclaire son existence, on produit le pouvoir de concentration, et on porte la sagesse à réalisation. La conscience de l'Être est la colonne vertébrale du Zen.

THICH NHAT HANH, *Being Peace*

QU'EST-CE QUE le Zen ? On ne peut répondre à cette question, car le Zen n'est 'rien' du tout – une non-chose. Ce n'est que le mot japonais qui désigne ce qui est, ce que nous, et tout le reste de l'existence, sommes. Il n'y a rien d'autre. Si nous devons souiller l'esprit suprême d'une définition, disons alors qu'il est pour nous un état de conscience intuitive de la Réalité, de cette force vitale qui est la totalité dans la manifestation.

CHRISTMAS HUMPHREYS, *Middle Way, Printemps 1979*

Un garçon a perdu son bœuf, son bien le plus précieux, et il est seul dans la campagne vaste. Le bœuf représente son soi véritable, ce qui est perdu de vue quand nous considérons le monde seulement horizontalement, et que nous ne lui accordons ni hauteur ni profondeur. Il s'est tant identifié aux choses du monde qu'il ne voit plus sa nature originelle. En fait, le bœuf n'est pas vraiment parti, le garçon n'a pas réellement perdu son soi véritable, mais il n'en a plus connaissance. Sa conscience, c'est que son soi réel n'est plus là.

Le Zen se dérobe à toute tentative de rationalisation, de logique, ou de réduction en philosophie, et il compare le désir de l'homme de le saisir intellectuellement à un doigt montrant la lune – le doigt est toujours pris pour la lune même. Il a une indifférence amusée pour les buts mondains des hommes. La vision Zen tient que tout est également sacré – même les nattes de paille et le crottin de cheval – et que distinguer un aspect de sa vie et lui accorder plus d'importance qu'aux autres, c'est tomber dans l'erreur dualiste, plutôt que dans la réalité. Un célèbre poème zen dit :

La voie parfaite ne connaît d'autre difficulté
Que de se refuser à faire des préférences ;
Ce n'est que lorsqu'on est débarrassé de haine et d'amour
Qu'elle se révèle pleinement, sans déguisement ;
Un dixième de pouce de différence,
Et le ciel et la terre se séparent.
Si vous voulez la voir de vos propres yeux,
N'ayez aucune pensée établie, pour ou contre elle.

ANNE BANCROFT, *Zen, Direct Pointing to Reality*

Ce n'est pas tant la foi dans ce qui sera, que la foi dans ce qui est – c'est ce qui fait défaut aux gens. Nous devons avoir foi en ce qui est maintenant.

MAÎTRE GUDO in *Fingers and Moons*, Trevor Leggett

QUELQU'UN DEMANDA à l'un des premiers maîtres Zen de lui enseigner la voie de la libération.

Le maître Zen dit : «Qui vous asservit ?»

Le chercheur de liberté répondit : «Personne ne m'asservit.»

Le maître Zen demanda : «Alors, pourquoi chercher la libération ?»

«Si vous pensez qu'il y a des formulations verbales qui sont des secrets mystérieux spéciaux à transmettre, ce n'est pas le Zen véritable. Le Zen véritable n'a pas de transmission. C'est juste une affaire d'expérience, qui résulte de la capacité à voir la vision mutuellement et à la communiquer tacitement. Au fil des siècles, le Zen s'est ramifié en écoles diverses avec des méthodes particulières, mais le dessein est toujours le même – montrer directement le mental humain.»

ANNE BANCROFT, *The Luminous Vision*

LA PRÉSENCE d'une cellule dans le corps implique la présence de toutes les autres, car elles ne peuvent exister indépendamment, séparées des autres. Un maître Zen vietnamien a dit un jour : «Si ce grain de poussière n'existait pas, l'univers entier ne pourrait exister.» Voyant un grain de poussière, une personne éveillée voit l'univers.

THICH NHAT HANH, *The Sun Is My Heart*

Les textes Zen demandent une attention particulière. Plus vous vous rapprochez de ce qui se trouve derrière les images, plus ils posent de questions. Plus l'examen est profond, plus les énigmes qu'ils posent sont complexes. Mais tout peut soudain devenir simple et clair. Cet extraordinaire caractère direct, cette simplicité extrême, peuvent souvent se révéler stimulants. Même quelqu'un qui ne sait rien des régions les plus hautes du Zen, peut être incité, par une image, un mot ou une phrase, à rire soudain, ce qui paradoxalement le plonge sur-le-champ dans la contemplation. Il peut aussi trouver une certaine résolution, ou tout aussi facilement l'étrange fardeau d'une responsabilité dont il n'avait jamais pris conscience, mais qui, maintenant, tout d'un coup, insatiablement, apparaît en lui.

Les textes Zen authentiques laissent la Vie parler directement. Pas la vie quotidienne de notre ronde continue, mais la Vie que nous sommes fondamentalement ; la Vie que nous devrions mener en apparence, mais qui ne fait aucune apparition dans notre mental conscient ou dans notre conscience. Fondamentalement, un texte Zen signifie souvent quelque chose d'autre que ce que nous lisons à première vue. Chaque déclaration Zen est une parabole. Mais ce à quoi il est toujours fait allusion, c'est la Vie, qui se trouve au-delà de la vie et de la mort.

KOSHO UCHIYAMA ROSHI, *Approche du Zen*

Le garçon n'erre plus dans la confusion à la recherche du bœuf. Il commence à prêter attention. Il écoute les enseignements et fait attention à ce qu'il fait. Et, ainsi, il trouve les empreintes du bœuf. Il pousse un cri de joie. Le bœuf existe, il est quelque part.

UN JOUR, j'ai chassé toutes les notions de mon mental. J'ai abandonné tout désir. J'ai écarté tous les mots avec lesquels je pensais et je suis resté tranquille. Je me suis senti un peu bizarre – comme si j'étais porté dans quelque chose, ou comme si je touchais un pouvoir inconnu de moi... et Zut ! Je suis entré. J'ai perdu le sens de la limite de mon corps physique. J'avais ma peau, bien sûr, mais j'avais l'impression de me tenir au centre du cosmos. Je parlais, mais mes paroles avaient perdu leur sens. Je voyais des gens venir vers moi, mais c'était toujours le même homme. Tous étaient moi-même ! Je n'avais jamais connu ce monde. J'avais cru que j'étais créé, mais maintenant je dois modifier mon opinion ; aucun M. Sasaki n'existait.

SOKEI-AN SASAKI in *Zen Notes*

QUAND ON INTERROGEA un ancien maître sur le sens du bouddhisme, il répondit : «S'il y a un sens en lui, je ne suis pas libéré.» Car lorsque vous avez réellement entendu le bruit de la pluie, que vous pouvez entendre, voir et sentir tout le reste de la même façon – comme ne nécessitant aucune traduction, étant juste ce qu'il est, alors il est impossible de dire quoi que ce soit.

ALAN WATTS in *Mystics and Sages*, Anne Bancroft

AVANT QUE VOUS n'entriez par l'une des portes du Zen, vous devez vous dépouiller de vos idées égotistes. Si vous pensez que vous pouvez parvenir à la vérité ultime avec votre cerveau, pourquoi ne le faites-vous pas ? Une fois que vous avez commencé à pratiquer le Zen, ne vous tournez pas à gauche ni à droite, mais continuez à aller tout droit.

NYOGEN SENZAKI, *Buddhism and Zen*

J'AI TRAVERSÉ les mers et les rivières, gravi les montagnes,
et passé des ruisseaux à gué,
Afin d'interroger les maîtres, de rechercher la Vérité, de
plonger dans les secrets du Zen ;
Et dès lors je fus capable de reconnaître la voie.
J'ai su que la vie-et-mort n'est pas la chose dont je m'étais
inquiété.
Car marcher est Zen, s'asseoir est Zen,
Que l'on parle ou que l'on reste silencieux, que l'on bouge
ou que l'on reste immobile, l'Essence même est à
l'aise ;
Même quand elle est saluée par des épées et des lances,
elle ne perd pas sa quiétude,
Et rien de ce qui arrive ne peut perturber sa sérénité.

YOKO DAISHI in *Manual of Zen Buddhism*, D. T. Suzuki

VOUS DEVEZ APPRENDRE à vivre dans le présent, pas dans le futur ni le passé. Le Zen enseigne que la vie doit être saisie dans l'instant. En vivant dans le présent, vous êtes en contact complet avec vous-même et votre environnement, votre énergie n'est pas dissipée et est toujours disponible. Dans le présent, il n'y pas de regrets comme il y en a dans le passé. En pensant au futur, vous diluez le présent. Le moment pour vivre, c'est maintenant. Tant que ce que vous faites en ce moment est exactement ce que vous faites en ce moment et rien d'autre, vous êtes un avec vous-même et avec ce que vous faites – et c'est Zen ; ce que vous faites, vous le faites totalement.

JOE HYAMS, *Zen in the Martial Arts*

LA LUNE est la même vieille lune,
Les fleurs exactement comme elles étaient
Mais je suis devenu la réité
De toutes les choses que je vois !

BUNAN in *Spiritual Journey*, Anne Bancroft

Le garçon a suivi longtemps les traces – il s'est efforcé d'enlever les obstacles dans son mental. Et maintenant, il peut voir la queue du bœuf. Il est presque à portée de main. Mais d'abord il doit triompher de son ego exigeant, pour trouver ce qui le transcende.

L'ILLUMINATION INTÉRIEURE est l'intégralité du Zen. Le Zen commence et finit avec elle. Quand il n'y a pas d'illumination, il n'y a pas de Zen. Ce n'est pas un état de simple quiétude, ce n'est pas la tranquillisation, c'est une expérience intérieure qui a une qualité noétique ; il doit y avoir un certain éveil à partir du champ de conscience relative, un certain changement de direction à partir de la forme ordinaire d'expérience qui caractérise notre vie quotidienne. C'est un retournement à la base de la conscience. Par cela, l'intégralité de la construction mentale subit un changement complet. Il est étonnant que cette connaissance soit capable de provoquer une telle reconstruction dans la vision spirituelle.

D. T. SUZUKI, *Studies in Zen*

LES PHILOSOPHES postulent la réalité, allant au bout de la voie logique, mais aucun d'eux ne parvient jamais à l'atteindre. Suivre la logique et croire que quelque chose doit être est une chose, mais en faire l'expérience, c'en est une autre.

NYOGEN SENZAKI, *Buddhism and Zen*

QUELQUE ÉLEVÉES et subtiles que soient nos idées, nous sommes fermement enracinés dans la terre ; il n'y a pas moyen d'échapper à l'existence physique. Quelles que soient les idées que nous pouvons avoir, elles doivent se rapporter à notre corps, si elles doivent exercer une influence sur la vie. On demande au moine de résoudre des problèmes abstraits hautement métaphysiques ; et, pour ce faire, il se consacre à la méditation. Mais tant que sa méditation demeurera abstraite, il n'y aura pas de solution pratique. Le yogî peut penser qu'il comprend cela clairement ; mais tant que cette compréhension se borne à ses heures de méditation, et qu'il ne la met pas en pratique dans sa vie quotidienne, la solution reste dans le domaine des idées, ne porte aucun fruit, et ne tarde pas à mourir. Aussi les maîtres Zen ont-ils toujours veillé à ce que leurs moines travaillent dur dans les champs, dans les bois et les montagnes. En fait, ils dirigeaient eux-mêmes les groupes de travail, prenant la pelle, les couteaux, ou la hache, portant de l'eau ou tirant la charrette à bras.

SOHAKU OGATA, *Zen for the West*

MON CONSEIL à ceux dont les yeux ne se sont pas encore ouverts à la lumière – sautez hors du filet et voyez combien l'océan est immense.

L. STRYCK, *Zen : Poems, Prayers, Sermons, Anecdotes, Interviews*

JOSHU DEMANDA un jour à Nansen : « Qu'est-ce que la Voie ?

Nansen : – L'homme ordinaire est la Voie.

Joshu : – Devons-nous essayer de l'obtenir ?

Nansen : – Dès qu'on essaie de l'obtenir, on en dévie.

Joshu : – Comment le sait-on, si l'on n'essaie pas ?

Nansen : – La Voie est au-delà de la connaissance et de la non-connaissance. Connaître, c'est une fausse perception, et ne pas connaître, c'est le manque de conscience. Quand on atteindra la voie, qui est au-delà du doute, on la verra aussi clairement que l'on voit l'immensité de l'univers. À quoi bon alors discuter de cela ? »

SOHAKU OGATA, *Zen for the West*

LE PRINCIPE suprême ne peut être expliqué ;
Il n'est ni libre ni asservi.
Plein de vie et en harmonie avec chaque chose,
Il est toujours devant vous.

NIU T'OU in *Buddhism and Zen*, Nyogen SENZAKI

CLARTÉ ET VACUITÉ

À LA FENÊTRE du nord, des courants glacés sifflent à
travers les fissures,
Au bassin du sud, les oies sauvages se blottissent dans les
roseaux neigeux,
Au-dessus, la montagne de la lune est étroitement tenaillée
par le froid,
Les nuages gelés menacent de tomber du ciel.
Les Bouddhas peuvent bien descendre dans ce monde par
milliers,
Ils ne peuvent ajouter ni soustraire la moindre chose.

HAKUIN in *Studies in the Lankavatara Sutra*, D. T. Suzuki

NAN-IN, un maître japonais recevait un professeur d'université, plein d'érudition, qui venait l'interroger sur le Zen. Nan-in servit du thé. Il remplit la tasse de son visiteur, et continua de verser.

Le professeur regarda le thé déborder, jusqu'à ce qu'il ne pût plus se contenir. «Elle est pleine. Elle ne peut plus rien contenir.

– Comme cette tasse, dit Nan-in, vous êtes plein de vos popres opinions et spéculations. Comment puis-je vous montrer le Zen, si vous ne videz pas votre tasse ?»

R. H. BLYTH, *Zen in English Literature*

EH BIEN ! Ce n'est que le mouvement des yeux et des
sourcils !
Et j'ai été le chercher très loin.
Éveillé enfin, je trouve la lune
Au-dessus des pins, la rivière se soulevant haut.

YTJISHUN in *Zen : Poems, Prayers, Sermons, Anecdotes, Interviews*,
L. Stryck

LE VENT BOUGE, le drapeau bouge,
L'esprit bouge,
Tous ont raté la cible.
Bien qu'il sache ouvrir la bouche,
Il ne voit pas qu'il s'est fait attraper par des mots.

EIDO SHIMANO ROSHI, *Vent Doré, La Liberté Zen*

MAÎTRE RINZAÏ [Lin Tsi] a dit : 'Quand j'ai faim, je mange ; quand je suis fatigué, je dors. Les idiots se moquent de moi. Les sages comprennent.'

D. T. SUZUKI, *Essais sur le bouddhisme Zen*

Si vous ne parvenez pas à obtenir l'émancipation dans cette vie, quand comptez-vous l'obtenir ? Tant que vous vivez, vous devez inlassablement pratiquer la contemplation. La pratique consiste en abandons. « L'abandon de quoi ? » pouvez-vous demander. Vous devez abandonner toutes les œuvres de votre conscience relative que vous avez chéries de toute éternité ; vous retirer dans votre être intérieur et en voir la raison. Quand votre réflexion s'approfondira, encore et encore, le moment sûrement viendra où vous verrez la fleur spirituelle s'épanouir, illuminant l'univers entier.

WU-HSIN in *Studies in the Lankavatara Sutra*, D.T. Suzuki

Le prix à payer, pour la capacité à trouver cet 'autre' comme sagesse vivante en moi-même, c'est de ne rien vouloir de sa part, de le considérer avec une totale acceptation de ce qu'il est, n'attendant rien, ne voulant rien changer ; et ce n'est qu'alors que je reçus ces éclairs illuminants qui ont été de la plus grande importance dans la détermination de ma vie.

MARION MILNER in *Weavers of Wisdom*, Anne Bancroft

Maintenant le garçon a trouvé le bœuf et lui a passé une corde autour du cou pour l'empêcher de repartir. Mais cela lui donne beaucoup de difficultés, car le bœuf rue et saute dans tous les sens. Le garçon a utilisé la corde de l'intellect et du concept, pensant qu'il a attrapé le bœuf grâce à sa compréhension mentale. Il le compare à ce que les autres lui ont dit. Mais il est unique, aucune connaissance ne peut l'attacher.

Le lotus poussant dans l'eau boueuse est une métaphore de l'illumination. Le lotus pousse en dépit des entraves. Il a besoin de l'impureté de l'eau pour sa nourriture. De même, dans notre développement personnel, nous ne pouvons travailler seulement avec ce que nous aimons de nous-mêmes. Nous devons travailler avec notre eau boueuse. Nous devons travailler avec nos problèmes et nos 'blocages', parce que c'est là que se trouve l'action.

BERNARD GLASSMAN, *Instructions au Cuisinier*

Maître Tanka, qui habitait le temple au milieu de l'hiver, utilisa une des statues en bois de Bouddha pour faire un feu. Le moine du temple accourut : «Que faites-vous donc ?

– Je brûle une statue de bois.

– Mais c'est un Bouddha !»

Remuant les cendres, Maître Tanka demanda : «Voyez-vous une de ces pierres reliques censées rester dans les cendres des saints ?

– Comment pouvez-vous compter trouver des pierres reliques dans une statue de bois ?, demanda le moine scandalisé.

– Ah bon ! Si c'est comme ça, dit Maître Tanka, puis-je en avoir une autre pour avoir de la chaleur ?»

IRMGARD SCHLOEGL, *The Wisdom of the Zen Masters*

JOSHU DEMANDA à Nansen : « Qu'est-ce que la voie ?
Nansen dit : – La vie de tous les jours est la voie.
Joshu demanda : – Peut-on l'étudier ?
Nansen dit : – Si vous essayez d'étudier, vous vous en éloignerez.
Joshu demanda : – Si je ne l'étudie pas, comment puis-je savoir que c'est la voie ?
Nansen dit : – Si vous voulez parvenir à la voie au-delà du doute [de la dualité], placez-vous vous-même dans la même liberté que le ciel. Vous l'appelez ni bonne ni mauvaise. »
À ces mots, Joshu fut illuminé.

TREVOR LEGGETT, *The Old Zen Master*

C'ÉTAIT AU-DELÀ de toute description, totalement incommunicable, car il n'y avait rien dans le monde à quoi cela pouvait être comparé... Tandis que je regardais autour et en haut et en bas, tout l'univers avec ses innombrables objets des sens semblait maintenant très différent ; ce qui était auparavant répugnant, accompagnant l'ignorance et les passions, n'était plus considéré que comme le débordement de ma propre nature intérieure, qui en elle-même restait lumineuse, vraie et transparente.

HAKUIN in *Spiritual Journey*, Anne Bancroft

MAÎTRE HUI-NENG obtint l'illumination en écoutant la récitation du Sûtra du Diamant ; Maître Teshan l'obtint en voyant Maître Lung-t'an souffler une chandelle ; c'est en voyant tomber une fleur de pêcher que Maître Ling-yun l'obtint ; Maître Po-chang, lui, l'obtint quand son Maître Ma-tsu lui tordit le nez, dans ses jeunes années ; quant à Maître Hakuin, c'est en entendant le son du gong du temple qu'il l'obtint. On ne peut pas dire grand-chose au sujet de l'illumination – guère de choses qui exprimeraient, même de loin, la réalité. C'est une grande explosion accompagnée de joie et suivie d'une paix profonde. On a comparé poétiquement cela à une couche de glace que l'on fracasse, ou à la chute d'une tour de cristal ; ou au départ des nuages et à la percée du brillant soleil – d'autres diront que c'est comme si leur crâne avait été brisé en mille morceaux.

WILLIAM JOHNSTON, *The Still Point*

CHACUN A sa propre voie vivante menant au ciel. Tant qu'il ne marche pas sur cette voie, il est comme un ivrogne qui ne peut pas dire où mène telle voie. Mais quand il pose le pied sur cette route et qu'il perd sa confusion, il lui incombe de savoir dans quelle direction il va – il n'est plus soumis aux directions arbitraires des autres.

SOKEI-AN SASAKI in *Zen Notes*

Le garçon peut maintenant conduire le bœuf en relâchant la corde. Il lui a fallu beaucoup de temps et de tracas, mais maintenant, il est docile et confiant. Il a dû vivre la vérité pendant longtemps, avant que tous les concepts intellectuels ne disparaissent. Mais maintenant, lui et son bœuf sont en harmonie.

IL N'Y A NI ICI, ni là. L'infini est devant nos yeux.

SENG T'SAN in *Studies in the Lankavatara Sutra*, D. T. Suzuki

SI VOUS AVEZ acquis une grande capacité et une vision tranchante, vous pouvez pratiquer le Zen partout où vous êtes. Sans l'emprunter à un autre, vous comprenez clairement par vous-même.

La lumière spirituelle pénétrante et la vaste tranquillité ouverte n'ont jamais été interrompues dans le temps sans commencement. L'esprit véritable pur, non fabriqué, ineffable, complet, n'agit pas comme partenaire des objets du sens matériel, ni comme compagnon des dix mille choses.

Quand l'esprit est toujours aussi clair et lumineux que dix soleils brillant ensemble, détaché des vues et au-delà des sensations, tranchant les illusions éphémères de la naissance et de la mort, c'est ce qui est exprimé par l'aphorisme, 'l'Esprit même est Bouddha'.

Vous n'avez pas à abandonner les activités mondaines pour parvenir à l'indifférence sans effort. Vous devez savoir que les activités mondaines et l'indifférence sans effort ne sont pas deux choses différentes mais si vous continuez à penser au rejet et à la saisie, vous en faites deux.

HUI NENG in *The Luminous Vision*, Anne Bancroft

L'ÉVEIL EST LÀ où il n'y a pas de naissance, pas d'extinction ; c'est voir dans l'état d'Ainsité, transcendant 'absolument' toutes les catégories construites par le mental.

LANKAVÂTARA SÛTRA in *The Perennial Philosophy*, A. Huxley

ON N'A PAS BESOIN d'attirail, de pratiques ou de réalisations pour y parvenir. Ce dont on a besoin, c'est se purifier des influences des afflictions psychologiques connectées avec le monde extérieur qui se sont accumulées dans la psyché dans le temps sans commencement.

Rendez votre esprit aussi ouvert que l'espace cosmique ; détachez-vous des compréhensions de la conscience conceptuelle, et les fausses idées et imaginations seront aussi comme l'espace vide. Alors cet esprit subtil sans effort sera naturellement sans obstacle partout où il se tournera.

JOHN BLOFELD, *The Zen Teaching of Huang Po*

AVEC LA LAMPE de la parole et de la discrimination, on doit aller au-delà de la parole et de la discrimination, et entrer dans la voie de la réalisation.

D. T. SUZUKI, *Studies in the Lankavatara Sutra*

IL Y AVAIT un merle dans le jardin, et c'était comme s'il n'y avait jamais eu de merle auparavant. Toute ma confusion intérieure disparut, et je fus remplie de clarté et de paix intérieure. J'avais l'impression d'être unie avec toutes les choses autour de moi, et je voyais les gens en suspendant tout jugement, si bien qu'ils paraissaient parfaits en eux-mêmes.

ANNE BANCROFT, *Zen : Direct Pointing to Reality*

LES VIES HUMAINES vont au gré des circonstances. Il n'est pas nécessaire de rejeter l'activité et de chercher la quiétude ; soyez juste vide intérieurement, tout en étant extérieurement en harmonie. Alors vous serez en paix au milieu de l'activité frénétique du monde.

SOKEI-AN SANSAKI in *Zen Notes*

L'ILLUMINATION ZEN est comparable à ceci : vous êtes parti depuis maintes années de votre foyer, et soudain vous voyez votre père dans la ville. Vous le reconnaissez tout à fait, sans doute aucun. Il n'est pas besoin de demander à quelqu'un d'autre s'il s'agit bien de votre père ou non.

DOGEN in *A Primer of Soto Zen*, Reiho Masanuga

LA VÉRITÉ est la chose la plus évidente, mais nous sommes toujours en train de chercher une aiguille dans une botte de foin. Quand vous voyez la Vérité, rien ne change. Un arbre est toujours un arbre, une montagne est une montagne. Comme Maezumi Roshi l'a dit un jour : «Je suis abasourdi en voyant toute la souffrance et toute la frustration que les gens subissent seulement pour réaliser qu'une table est une table, et une chaise, une chaise.»

K. DURCKHEIM, *The Grace of Zen*

JOUR ET NUIT le vent froid traverse ma robe.
Dans la forêt, seulement des feuilles tombées ;
On ne peut plus voir les chrysanthèmes sauvages.
À côté de mon ermitage, il y a un vieux bosquet de
bambous ;
Ne changeant jamais, il attend mon retour.

JOHN STEVENS, *One Robe, One Bowl*

TOUT D'UN COUP j'ai oublié toute ma connaissance !
Une discipline artificielle est inutile,
Car, quoi que je fasse, je manifeste l'ancienne Voie.

HAKUIN in *Zen : Direct Pointing to Reality*, Anne Bancroft

J'AI FAIT une promenade. Soudain, je me suis immobilisé, rempli de la réalisation que je n'étais pas le corps ou le mental. Tout ce que je pouvais voir, c'était un grand Tout illuminant – omniprésent, parfait, lumineux, serein. C'était comme un miroir reflétant tout duquel les montagnes et rivières de la terre étaient projetées... Je me sentis clair et transparent.

HAN-SHAN in *On Having No Head*, D. E. Harding

COMME LE CIEL vide il n'a pas de limites,
Mais il est juste ici, toujours profond et clair.
Quand vous cherchez à le connaître, vous ne pouvez le voir.
Vous ne pouvez le saisir.
Mais vous ne pouvez le perdre.
En ne pouvant pas l'obtenir, vous l'obtenez.
Quand vous êtes silencieux, elle parle ;
Quand vous parlez, elle reste silencieuse.
Le grand portail est grand ouvert pour que les aumônes soient octroyées,
Et aucune foule n'en obstrue le passage.

TAKUAN in *Essays in Zen Buddhism I*, D. T. SUZUKI

TOUT SOUDAIN, vous trouvez votre mental et votre corps chassés de l'existence. C'est ce qui est appelé lâcher prise. Vous retenez votre souffle et c'est comme boire de l'eau et savoir qu'elle est fraîche. C'est une joie inexprimable.

HAKUIN in *On Having No Head*, D. E. Harding

CEUX QUI, réfléchissant en eux-mêmes,
Témoignent de la vérité de la Nature-propre,
De la vérité que la Nature-propre est non-nature,
Sont allés au-delà de toute sophistique.
Pour eux s'ouvre la porte de l'unité de la cause et de l'effet,
Et passe tout droit la voie de la non-dualité et de la non-trinité.
Demeurant avec le non-particulier qui est dans le particulier,
Qu'ils aillent ou qu'ils viennent, ils restent à jamais immobiles ;
S'emparant de la non-pensée qui est dans les pensées,
Dans chacun de leurs actes ils entendent la voix de la vérité.

SOHAKU OGATA, *Zen for the West*

Le garçon joue de la flûte en revenant chez lui, sur le dos de son bœuf. Il est dans la claire lumière du soleil. Mais le bœuf est encore dans l'image, il est encore séparé de lui, bien qu'ils soient ensemble. Il pense encore à sa nature originelle conceptuellement, comme étant «en dehors».

TOUS LES DOUTES, toutes les indécisions que j'ai eus auparavant, ont été complètement dissous comme un morceau de glace fondue. J'ai crié fort : 'Merveilleux ! Merveilleux ! Il n'y a pas de naissance et de mort auxquels on doive échapper, il n'y a pas de connaissance suprême que l'on doive s'efforcer d'obtenir !'

KU-MEI YU in *Spiritual Journey*, Anne Bancroft

D'OÙ VIENT ma vie ?
Où va-t-elle ?
Je suis assis, seul, dans ma hutte,
Et je médite tranquillement ;
Avec toute ma pensée, je ne connais pas d'origine,
Je ne vais non plus vers aucune destination ;
Tel est mon présent,
Éternellement changeant – tout est Vacuité !
Dans cette Vacuité, l'Ego se repose un moment,
Avec ses oui et ses non ;
Je ne sais pas où les mettre,
Je ne fais que suivre mon Karma dans ses modifications,
avec un contentement parfait.

SOHAKU OGATA, *Zen for the West*

LE ZEN est une affaire d'expérience ; il n'a rien de conceptuel, d'idéel. Aussi le Zen évite-t-il d'adopter un système de pensée, d'en faire le critère de sa vie.

SOHAKU OGATA, *Zen for the West*

LE KOAN que je donne le plus souvent à mes disciples est : «Toutes choses reviennent à l'Un, où l'Un revient-il ?» Je leur donne cela à 'résoudre'. Chercher à résoudre cela, c'est éveiller un grand esprit de recherche du sens ultime du koan. La multitude des choses revient à l'Un, mais où l'Un finit-il par retourner ? Je leur dis : Faites cette enquête de toute la force qui est en vous, ne vous accordant aucune trêve dans cet effort. Quelle que soit la position physique dans laquelle vous êtes, quelle que soit votre activité professionnelle, ne passez jamais votre temps oisivement. Où l'Un finit-il par retourner ? Essayez de faire avancer votre esprit d'examen, de façon régulière, ininterrompue. Quand votre esprit de recherche arrive à cette étape, le temps est venu, pour votre fleur spirituelle, de s'épanouir.

KAO-FENG in *Ch'an and Zen Teaching, Série 2,* Lu K'uan Yu

UN COUP m'a fait oublier toute ma connaissance
antérieure,
Aucune discipline artificielle n'est nécessaire ;
À chaque moment je confirme la voie ancienne,
Et je ne tombe jamais dans l'ornière du quiétisme ;
Aucune trace n'est laissée quand je marche
Et mes sens ne sont pas enchaînés à des règles de
conduite ;
Partout, ceux qui ont atteint la vérité,
Déclarent que c'est ce qu'il y a de plus élevé.

SOHAKU OGATA, *Zen for the West*

LES ÊTRES et les choses ne sont pas séparés de la vraie-nature. La caractéristique de cette vraie-nature est simplement 'cela est'. Et parce que cette nature ne peut être augmentée ou diminuée, elle est la même pour nous tous. Elle n'est pas plus chez une personne intelligente, pas moins chez une personne ordinaire. Cette nature embrasse l'espace illimité, et quand vous voyez la perfection de cette nature, cela purifie votre vision. Quand votre sens visuel est purifié, vos autres sens sont aussi purifiés, et le monde entier est transformé.

MAÎTRE KU SAN in *Spiritual Journey*, Anne Bancroft

PAR EXEMPLE, j'en ai déjà parlé, mais le pouvoir qui fait battre mon cœur, qui envoie le sang dans mon corps entier, et me permet de respirer plusieurs fois dans une minute, n'est pas quelque chose que je contrôle ou active. Le pouvoir qui fait ces choses opère complètement au-delà de mes pensées. Mais parce que ce pouvoir vient d'au-delà de mes pensées, pouvons-nous dire qu'il n'est pas moi ? Tant que ce pouvoir œuvre en moi, il est vraiment la réalité de ma vie. Ce ne sont pas seulement ces sortes de fonctions physiques, mais aussi les idées et pensées qui apparaissent dans ma tête. Si l'on considère le contenu de ces idées et pensées, il semble que ce soient mes pensées et mes idées. Mais il convient de dire que le pouvoir même qui me fait élaborer ces pensées et idées, est un pouvoir transcendant, au-delà de mes pensées. Cependant, même si je dis que ce pouvoir est transcendant, il n'est pas faux de dire que, du moment qu'il opère en moi, il est la réalité de la vie du moi.

KOSHO UCHIYAMA ROSHI, *Approach to Zen*

DANS l'ultime,
Règles et critères n'existent pas.
Acquérez un esprit d'équanimité,
Et tous les actes sont apaisés.
Les doutes fébriles sont complètement éliminés.

SENG TS'AN in *Buddhism and Zen*, Nyogen Senzaki

SI TOUTES choses doivent revenir à l'Un, où cet Un doit-il revenir ?

CHAO CHOO in *Zen Dictionary*, Ernest Wood

L'ILLUMINATION signifie voir dans sa propre nature essentielle, et cela, en même temps, signifie voir dans la nature essentielle du cosmos et de toutes choses. Car voir dans la nature essentielle est la sagesse de l'illumination. On peut appeler 'vérité' la nature essentielle, si l'on veut. Dans le bouddhisme, de tout temps, on l'a appelée 'ainsité', ou 'Esprit'. Dans le Zen, on appelle cela aussi non-réité, ou visage originel. Les désignations peuvent être différentes, mais le contenu est complètement le même.

MAÎTRE YASUTANI in *Zen Enlightenment*, H. Dumoulin

LA PLUPART des gens manquent le dessein véritable de la vie, parce qu'il est toujours dans notre nature d'anticiper ; nous rêvons de quelque chose d'autre, de quelque chose de plus. Le rêve naît de l'insatisfaction habituelle. Ainsi errons-nous, motivés par l'inconscient et l'idée fixe et inconsciente, que nous nous détestons nous-mêmes tels que nous sommes, et que nous devons être meilleurs. En fait, 'meilleur' n'existe pas.

TREVOR LEGGETT, *The Old Zen Master*

SOUDAIN, un grand doute apparut devant moi. C'était comme si j'avais été transformé en un bloc gelé au milieu d'un tapis de glace s'étendant sur des milliers de lieues. Une pureté emplit ma poitrine, et je ne pouvais ni avancer ni reculer. J'étais quasiment hors de mon esprit, et ne restait que le koan 'Mu'... Cet état dura plusieurs jours. Puis j'entendis par hasard le son de la cloche du temple, et je fus soudain transformé. C'était comme si la couche de glace avait été brisée... et je repris mes sens. Tous mes doutes anciens disparurent... Et je m'écriai : «Merveilleux, merveilleux. Il n'y a pas de cycle des naissances et des morts par lequel on doive passer. Il n'y a pas d'illumination à chercher.»

HAKUIN in *Crazy Clouds*, Perle Besserman

LA VÉRITABLE vacuité – celle qui est au-delà des concepts et des mots – est parfois appelée 'telléité' ou 'ainsité'. Cela signifie : 'c'est ainsi'. On ne peut qu'en faire l'expérience directe. Si vous voulez savoir à quoi ressemble une orange, vous devez la goûter. Alors vous entrer dans la 'telléité' d'une orange ou l' 'ainsité' de la mer. Dans le Zen, le commencement même de notre vie est sa 'télléité'. Pour connaître cette 'êtreté', vous devez l'expérimenter sans concepts.

DOGEN in *Manual of Zen Buddhism,* D. T. Suzuki

REGARDEZ DANS la sérénité du mental auquel toutes choses reviennent ;
Réalisez que le monde des choses particulières existe à cause de l'Esprit ;
Observez l'interprétation parfaite et mystérieuse de toutes choses ;
Observez qu'il n'y a rien, que la 'Telléité' ;
Observez que le miroir de la conscience reflète les images de toutes les choses, qui ainsi ne s'obstruent pas mutuellement ;
Observez que, lorsqu'un objet particulier est saisi, tous les autres sont saisis avec lui.

MAÎTRE FA-TSANG in *Spiritual Journey*, Anne Bancroft

Le garçon est arrivé chez lui. Et quand il est vraiment chez lui, il voit que le bœuf est parti. Mais il ne s'en soucie pas, car il sait maintenant que le bœuf n'était que lui-même. Il est chez lui en lui-même et le bœuf n'est plus séparé. Il n'y a plus de recherche. Mais il est lui-même encore dans l'image.

DRESSER CE qu'on aime contre ce qu'on n'aime pas –
C'est la maladie du mental ;
Quand le sens profond de la Voie n'est pas compris,
La paix de l'esprit est troublée en vain.
La Voie est parfaite comme l'espace vaste,
Sans rien qui manque, rien de superflu ;
C'est en fait à cause du choix
Que sa télléité est perdue de vue.

Dans le règne suprême de la vraie Telléité,
Il n'y a ni soi ni autre ;
Quand l'identification directe est recherchée,
Nous pouvons seulement dire : 'Pas deux.'
Les deux existent à cause de l'Un ;
Mais ne vous accrochez pas non plus à cet Un ;
Quand un esprit n'est pas perturbé,
Les dix mille choses ne gênent nullement.

SENG T'SAN in *Studies in the Lankavatara Sutra*, D. T. Suzuki

UN HOMME vint voir Maître Ikkyu.

'Maître, s'il vous plaît, écrivez pour moi quelques mots de sagesse suprême.' Ikkyu prit son pinceau et écrivit un mot : 'Attention'. 'C'est tout ?', demanda l'homme. 'S'il vous plaît, ajoutez quelque chose.' Ikkyu écrivit : 'Attention. Attention.' 'Bien', dit l'homme, 'je ne vois pas dans cela beaucoup de profondeur et de subtilité.' Ikkyu écrivit alors : 'Attention. Attention. Attention.' Avec colère, l'homme, qui pensait qu'il se moquait de lui, demanda : 'Qu'est-ce que ce mot «Attention» peut bien signifier ?' Ikkyu répondit : 'Attention signifie Attention.'

Commentaire de Philip Kapleau : 'Pour un homme ordinaire, dont le mental est un échiquier de réflexions, d'opinions et de préjugés entrecroisés, l'attention pure est presque impossible ; sa vie est ainsi centrée non pas sur la réalité même, mais sur les idées qu'il s'en fait. En concentrant totalement le mental sur chaque objet et chaque action, le zazen le dépouille des pensées étrangères, et nous permet d'entrer dans une relation pleine avec la vie.'

P. KAPLEAU, *The Three Pillars of Zen*

UMMON Bunen voulait que ses disciples soient très clairs, et très résolus, dans leurs actions, et pour illustrer cela, il disait : 'Quand vous vous asseyez, asseyez-vous ; quand vous marchez, marchez. Surtout, n'hésitez pas.'

ERNEST WOOD, *Zen Dictionary*

TANT QUE les gens sont séduits par des mots, ils ne peuvent s'attendre à pénétrer le cœur du Zen. Pourquoi ? Parce que les mots sont simplement un véhicule sur lequel la vérité est portée. En ne comprenant pas le sens de ce que disaient les vieux maîtres de leurs koans, ils essaient de le trouver seulement dans les mots, mais ils ne trouvent là rien où poser leurs mains. La vérité même est au-delà de toute description, mais c'est par les mots qu'elle se manifeste. Oublions donc les mots quand nous obtenons la vérité même. Nous n'y parvenons que lorsque nous avons une connaissance grâce à l'expérience de ce qui est indiqué par les mots. Quand on demanda à T'ung-shan : 'Qu'est-ce que le Bouddha ?', il répondit : 'Trois rouleaux de lin'. Cette réponse est comme la voie royale menant à la capitale : une fois que vous y êtes, chaque pas vous conduit dans la bonne direction.

LU K'UAN YU, *Ch'an and Zen Teaching, Série 1*

NI AMOUR ni haine : cela suffit.
La compréhension peut venir,
Spontanément claire
Comme la lumière du jour dans une caverne.

SHIN JIN MEI in *The Zen Way to the Martial Arts*, Taisen Deshimaru

SI L'ON VA dans des lieux abandonnés et herbeux, que l'on y fasse zazen, c'est pour chercher sa nature propre. Mais, en ce moment, où est votre nature propre ? Quand vous avez réalisé votre nature propre, vous pouvez vous libérer de la naissance et de la mort. Comment pourrez-vous vous libérer quand vous serez à l'article de la mort ? Quand vous vous serez libéré de la naissance et de la mort, vous saurez où aller. Après votre mort, où irez-vous ?

TOSOTSU JUETSU in *Crazy Clouds*, Perle Besserman

MÉDITATION ET ZAZEN

LE SILENCE est un art que nous avons, au XXIe s., beaucoup perdu. Mais le silence est le puits par lequel nous descendons jusqu'aux profondeurs de la contemplation. Le silence est le véhicule qui nous conduit jusqu'au centre de notre être, qui est le lieu de toutes les expériences authentiques.

Comment pratiquons-nous la Voie du silence ? L'essence de la pratique du Zen est le zazen, ou méditation assise. Le zazen est une discipline dans laquelle nous faisons silence et mettons en harmonie le corps, le mental et le souffle, qui a avant tout une action thérapeutique, et qui, finalement, quand toutes les choses sont prêtes, effectue une expérience spécifique spirituelle.

ELAINE MCINNES, *Roshi*

LES GENS qui étudient le bouddhisme doivent rechercher la perception et la compréhension vraies, réelles. Si vous obtenez la perception et la compréhension réelles, vraies, la naissance et la mort ne vous affectent pas – vous êtes libre d'aller ou de rester. Vous n'avez pas besoin de chercher des merveilles, car les merveilles viennent d'elles-mêmes.

Mettez simplement vos pensées au repos, et ne cherchez plus extérieurement. Quand les choses arrivent, accordez-leur votre attention ; ayez seulement confiance dans ce qui est fonctionnel chez vous à présent, et rien ne peut vous affecter.

SOKEI-AN SASAKI in *Zen Notes*

L'OBJET DE L'EXERCICE Zen consiste à nous faire réaliser que le Zen est notre expérience quotidienne, et non pas quelque chose qui vient de l'extérieur. Un maître, Dogo, avait un novice du nom de Soshin. Quand Soshin vint d'abord au monastère, il s'attendit naturellement à ce que son maître lui fît des leçons de Zen. Mais Dogo ne lui donna pas de leçon spéciale, et cela désorienta et déçut Soshin. Un jour, il dit à Dogo :

'Cela fait un certain temps que je viens ici, mais pas une seule parole ne m'a été adressée concernant l'essence de l'enseignement Zen.

– Depuis votre arrivée, je vous ai donné tout le temps des leçons au sujet de la discipline Zen, répondit Dogo.

– De quelle sorte de leçon s'est-il agi ?

– Quand vous m'apportez une tasse de thé le matin, je la prends ; quand vous me servez un repas, je le prends ; quand vous me saluez, je vous réponds d'un signe de tête. Pensez-vous qu'on pourrait vous enseigner autrement la compréhension du Zen ?'

Soshin baissa la tête, pesant ces paroles énigmatiques.

Dogo dit : 'Si vous voulez voir, voyez tout de suite. Quand vous commencez à penser, vous ratez la cible.'

LU K'UAN YU, *Ch'an and Zen Teaching, Série 2*

NE MÉPRISEZ PAS les afflictions, purifiez seulement votre mental. Empoigner l'esprit signifie juger si l'esprit est dans un état convenable ou non. C'est comme allumer une lampe dans une caverne où la lumière du soleil ou de la lune n'est jamais entrée ; l'ancienne obscurité ne sort pas, mais soudain elle devient lumière intérieure. Avec la lumière de la sagesse, l'obscurité de l'ignorance et l'affliction n'ont pas à sortir pour disparaître. La nuit, le ciel est noir, mais quand la lumière du soleil apparaît, le ciel devient la lumière du jour. Le mental est ainsi : l'illusion est obscurité, l'illumination est lumière – quand la lumière de l'esprit brille, l'obscurité des afflictions devient soudain lumière. L'illumination n'est pas quelque chose de séparé.

Votre propre lumière de sagesse est claire et brillante en elle-même, mais quand elle est obscurcie par des idées fausses, vous la perdez, et vous créez ainsi des illusions. C'est comme lorsque quelqu'un rêve ; tout semble réel, mais après l'éveil, il ne reste plus rien. Les illusions semblables aux rêves sont considérées comme étant originellement inexistantes une fois que vous êtes éveillé.

THOMAS CLEARY, *The Original Face*

LES MONTAGNES bleues sont d'elles-mêmes des montagnes bleues ;
Les nuages blancs sont d'eux-mêmes des nuages blancs.

R. H. BLYTH, *Zen in English Literature*

NOUS SOMMES encore appelés à lutter avec le phénomène curieux du moi humain complexe, nécessaire mais excessif, qui résiste à laisser le monde entrer. La pratique de la méditation nous donne un moyen de l'adoucir. Le dessein du koan est de fournir au disciple une brique pour enfoncer la porte, pour franchir cette première barrière.

CLAUDE WHITMYER, *Mindfulness and Meaningful Work*

GRAND DOUTE : grand éveil.
Petit doute : petit éveil.
Pas de doute : pas d'éveil.

Ces lignes abruptes expriment la relation entre la pénétration du mystère et le degré et l'intensité de l'interrogation. Le doute ou interrogation, est considéré comme la clef indispensable de l'éveil. C'est la vitalité de l'activité méditative, la force conductrice qui intensifie le sens du mystère au point où il révèle de façon inattendue ce qui jusqu'alors était resté caché, non manifesté.

S. BATCHELOR, *The Faith to Doubt*

LE BOUDDHA PASSA la saison des pluies à pratiquer la méditation et l'attention au va-et-vient du souffle. 'C'est ainsi que, attentivement, j'ai inspiré, et que, attentivement, j'ai expiré. Quand je faisais une inspiration longue, je savais qu'elle était longue ; et quand je faisais une longue expiration, je savais : «je fais une longue expiration». La même chose avec le souffle court, sachant qu'il entrait, et sachant qu'il sortait. Dans l'attention, j'étais conscient de tout le processus.

«J'ai aussi pratiqué de la sorte la contemplation du corps. Quand j'étais debout, j'étais conscient d'être debout ; quand je m'asseyais, il y avait une conscience totale de s'asseoir ; et quand je m'allongeais, il y avait la pleine expérience de s'allonger. En faisant l'expérience de chaque instant, mon mental cessa de s'attacher au monde.

«L'attention à l'inspiration et à l'expiration, à la contemplation du corps, à l'observation de la conscience du moment, est une noble occupation et une voie sublime, conduisant à l'indépendance de l'esprit et à la sagesse.»

ANNE BANCROFT, *The Buddha Speaks*

JE DIS TOUJOURS que nous devons nous concentrer 'ici et maintenant', créer 'ici et maintenant'. Ainsi, nous devenons frais, nouveaux. Le zazen d'hier n'est pas le même que celui d'aujourd'hui.

TAISEN DESHIMARU, *The Zen Way to the Martial Arts*

La posture est fondamentale pour la pratique de zazen. Fondamentalement, votre posture est l'expression de votre nature de Bouddha. Avec quelle clarté, avec quel sentiment de respect pour votre vie, vous vous asseyez sur ce coussin ! C'est une chose merveilleuse, de s'asseoir simplement. Et de prendre une profonde inspiration et de sentir chaque pore de votre être se vivifier, du bout de vos cheveux à vos ongles d'orteils, au cuir chevelu et aux joues – tout devient vivant. Il est impératif d'avoir une bonne posture pour cette expérience. Autrement, votre souffle ne peut pas se répandre en vous.

C'est une pratique sur cette terre, non pas tout là-bas quelque part dans l'espace. Vous êtes ici, sur cette merveilleuse planète, vos genoux sont solidement plantés dans le sol. C'est d'ici que vous poussez. Votre colonne vertébrale est comme la tige d'une fleur, votre tête comme la fleur au sommet de la tige. Et tout est alignement merveilleux, clair. Alors vous rendez votre souffle régulier : faites-le monter, vous remplissant, faites le sortir lentement, et laissez votre souffle vous respirer.

MAURINE STUART in *Meetings with Remarkable Women*,
L. Friedman

Aucun calcul ne peut résoudre les koans paradoxaux de la tradition Zen. Les koans exigent une autre approche. Ils étonnent et rendent perplexes : ils montrent un mystère, pas un

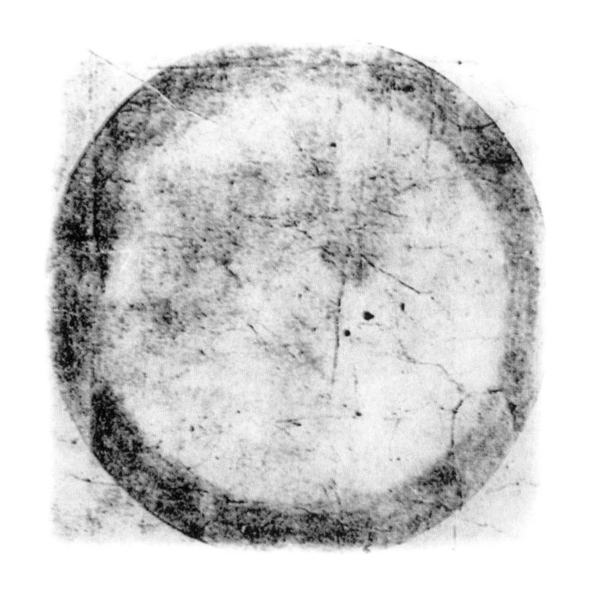

Maintenant, enfin, le garçon aussi s'est retiré de l'image, et c'est juste un cercle vide, le cercle qui a contenu les sept dernières images. Il n'y a plus de dualité. Mais le but final n'est pas du tout ici.

problème. Ils sont comme des miroirs qui peuvent refléter les profondeurs inexplorées de l'expérience humaine. Il est futile de les examiner avec des instruments conventionnels d'analyse et de raison. Il faut les considérer d'une façon radicalement différente. Tandis que vous les éprouvez et les tournez, regardez-les, écoutez-les ; ils peuvent soudain révéler une intuition jusque-là non réalisée de leur sens.

S. BATCHELOR, *The Faith to Doubt*

POUR CELUI qui pratique le Zen, des termes comme 'saint' ou 'Bouddha' sont des pièges, impliquant la réalité de ces choses, alors qu'en fait, elles n'existent que comme concepts dans le mental. Les maîtres Zen, quand ils se rencontraient, éclataient de rire à l'idée qu'ils étaient censés être saints et dignes de respect, et ils se caricaturaient souvent les uns les autres, sous la forme de vieux bonshommes ronds ou absurdement ratatinés, avec des titres comme 'un sac de riz' ou 'un flocon de neige dans un poêle allumé'. Ils se plaisaient à poser des pièges, essayant de se pousser les uns les autres à des affirmations conceptuelles au sujet de l'illumination ou du bouddhisme ou du nirvâna, et éclataient de rire quand le piège était subtilement compris et évité.

ANNE BANCROFT, *Zen : Direct Pointing to Reality*

Le Père William Johnston, un jésuite, alla méditer dans un monastère Zen japonais. Après qu'il fut resté quelque temps assis en posture de méditation, ses jambes le firent atrocement souffrir. Le maître lui donna un conseil à ce sujet, et lui demanda quelle pratique il suivait dans sa méditation. Johnston répondit qu'il était assis silencieusement en présence de Dieu, sans paroles ni pensées, ni images ni idées. Le maître demanda si Dieu était partout, et, ayant reçu une réponse affirmative, il demanda s'il était 'enveloppé dans Dieu'. La réponse fut encore affirmative.

– Et cela, vous en faites l'expérience ?, demanda le maître.

– Oui.

– Très bien, très bien, dit le maître, continuez ainsi. Continuez seulement. Et vous finirez par le découvrir, Dieu disparaîtra, et il ne restera que Johnston.»

Johnston fut choqué par cette remarque, parce qu'elle avait l'air d'une négation de ce qu'il considérait comme sacré. Il décida de contredire le maître et dit, souriant :

«Dieu ne disparaîtra pas. Mais Johnston pourrait bien disparaître, et il ne resterait que Dieu.

– Oui, oui, répondit le maître en souriant. C'est la même chose. C'est ce que je veux dire.»

ANNE BANCROFT, *Zen : Direct Pointing to Reality*

LES DISCIPLES Zen restent au moins dix ans avec leurs maîtres avant de prétendre enseigner les autres. Nan-in reçut la visite de Tenno, qui, son temps d'apprentissage accompli, était devenu un maître. La journée était pluvieuse, aussi Tenno portait des sabots de bois et tenait un parapluie. Après l'avoir salué, Nan-in dit :

«Je suppose que vous avez laissé vos sabots dans le vestibule. Je veux savoir si votre parapluie est à droite, ou bien à gauche des sabots.»

Tenno, confus, ne put répondre instantanément. Il réalisa qu'il était incapable de porter son Zen à chaque instant. Il devint le disciple de Nan-in, et il étudia six autres années pour accomplir son Zen de chaque instant.

PAUL REPS, *Zen Flesh, Zen Bones*

QUAND ON DEMANDA à Mu-Chou : «Nous nous habillons et nous mangeons chaque jour, comment pouvons échapper à l'habillement et à la nourriture ?», il répondit : «Nous nous habillons, nous mangeons.

– Je ne comprends pas, dit le moine.

– Si vous ne comprenez pas, mettez vos vêtements, et mangez votre nourriture.»

LU K'UAN YU, *Ch'an and Zen Teaching, Série 2*

QUAND VOUS contemplez le corps en étant dans le corps, vous ne devez pas vous mettre à concevoir toutes sortes d'idées à son sujet ; il en va de même quand vous contemplez les sentiments en étant dans les sentiments – vous devez y entrer sans idées ; la même chose, pour ce qui est de contempler les pensées en étant dans les pensées. Les pensées doivent être juste les objets du mental, et vous ne devez pas produire une série d'idées connectées avec eux. De la sorte, les idées mises de côté, votre mental devient tranquille et profond. Il entrera dans un état de méditation sans idées discursives, une méditation extasiante et joyeuse.

ANNE BANCROFT, *The Buddha Speaks.*

TAKUAN et Bankei insistaient sur le fait que le mental 'original' et 'non né' est constamment en train de faire des miracles même chez la personne la plus ordinaire. De même qu'un arbre a d'innombrables feuilles, ainsi le mental les inclut tous en même temps, sans être 'arrêté' par aucun d'entre eux. Expliquant cela à un moine visiteur, Bankei dit : 'Pour prouver que votre mental est le mental de Bouddha, remarquez que tout ce que je dis ici entre en vous, sans que manque la moindre chose, bien que je ne fasse rien pour le faire entrer.'

ANNE BANCROFT, *Spiritual Journey*

QUAND VOUS êtes subtilement conscient de toutes les circonstances, vous êtes vide et vous n'avez pas d'attitude subjective à leur égard. Comme la brise dans les pins, la lune dans l'eau, il y a une harmonie claire et légère. Vous n'avez pas un mental qui va et vient, et vous ne vous attardez pas sur les apparences.

L'essence est dans l'ouverture et la complaisance intérieures, tout en étant extérieurement réactif, sans fatigue. Soyez comme le ruisseau qui fait s'épanouir les fleurs, comme un miroir reflétant des images, et vous émergerez naturellement, à l'écart de tout tumulte.

SOKEI-AN SASAKI in *Zen Notes*

CONSIDÉREZ le corps comme irréel
Une image dans un miroir, le reflet de la lune dans l'eau
Contemplez le mental comme étant sans forme
Mais brillant et pur

Pas une seule pensée n'apparaissant
Vide, mais perceptif, calme, mais illuminant
Complet comme la Grande Vacuité
Contenant tout ce qui est merveilleux

HAN SHAN TE CH'ING in *Buddhism and Zen*, Nyogen Senzaki

DANS LE BOUDDHISME, il y a un mot qui signifie sans désir ou sans but. L'idée est de ne rien poser devant nous, et courir après. Quand nous pratiquons la méditation assise, nous nous asseyons juste pour être assis. Nous ne nous asseyons pas pour être illuminés, pour devenir des bouddhas, ou quoi que ce soit d'autre. Chaque moment où nous sommes assis nous ramène à la vie, et nous sommes assis d'une façon qui nous fait apprécier d'être assis tout le temps. La méditation en marchant est la même chose. Nous n'essayons pas d'arriver quelque part. Nous faisons des pas paisibles, heureux, et nous en jouissons. Si nous pensons au futur– ou à ce que nous voulons réaliser – ou si nous pensons au passé – nos nombreux regrets – nous perdons nos pas, et c'est très dommage... C'est un exercice d'art de vivre. Tout ce que nous faisons peut être ainsi. Que nous plantions des salades, lavions la vaisselle, écrivions un poème, ou additionnions des colonnes de chiffres, ce n'est pas différent. Toutes ces choses sont de rang égal... Je suis poète. Un jour, un universitaire américain me dit : «Ne perdez pas de temps à jardiner, à faire pousser des salades. Écrivez plutôt des poèmes. Peu de gens écrivent des poèmes comme vous le faites, mais n'importe qui peut faire pousser des salades.» Ce n'est pas une façon de penser correcte. Je sais très bien que si je ne fais pas pousser de salades, je ne peux pas écrire de poèmes. Manger une mandarine, laver des assiettes, et faire pousser des salades en étant attentif, sont essentiels pour que j'écrive de la poésie.

THICH NHAT HANH, *The Heart of Understanding*

ALORS QU'ON lui demandait si l'on pouvait échapper à la 'chaleur', un autre maître orienta l'interrogateur vers l'endroit où il ne fait ni chaud ni froid. Quand on lui demanda de s'expliquer, il répondit : «En été, nous transpirons ; en hiver, nous frissonnons». Ou, comme le dit un poème :

> Quand il fait froid, nous nous rassemblons autour du foyer, devant le feu ardent ;
> Quand il fait chaud, nous nous asseyons sur le bord du torrent de montagne, dans le bosquet de bambous.

ALAN WATTS, *The Way of Zen*

QUAND ON PARLE de zazen, j'aime utiliser la métaphore de la lune et du lac. Nos pensées et émotions sont comme les rides et les vagues qui perturbent la surface réfléchissante du lac, nous empêchant de voir la lune. Bien sûr, la lune est toujours là, même si nous ne pouvons pas la voir, et il est aussi important de voir les rides. Mais nous avons encore besoin de voir la lune clairement, pour savoir qu'elle est là. Ainsi, en méditation, quand nous laissons s'apaiser les rides de nos pensées et les vagues de nos émotions, nous apaisons le lac, pour que la lune puisse se refléter.

BERNARD GLASSMAN, *Instructions to the Cook*

BEAUCOUP de gens pensent qu'une sorte de corps matériel fait quelque pratique spirituelle. Mais cette idée est un grand obstacle à la pratique spirituelle. Vous connaissez le lien qu'il y a, en latin entre les mots 'souffle' et 'esprit' [*spiritus* pour les deux]. C'est l'esprit qui remplit le corps, non le corps qui fait une pratique spirituelle.

EIDO SHIMANO ROSHI, *Point de Départ, Zen Rinzaï*

DÉVERSEZ TOUT ce que vous avez accumulé dans votre mental – ce que vous avez appris ou entendu, la fausse compréhension, les maximes intelligentes ou habiles, la prétendue vérité du Zen, les enseignements du Bouddha, la vanité, l'arrogance, etc. Concentrez-vous sur le koan que vous n'avez pas encore compris. C'est-à-dire, croisez fermement vos jambes, tenez votre colonne vertébrale droite, et sans prêter attention à l'heure qu'il est, gardez votre concentration jusqu'à ce que, comme un 'cadavre vivant', vous soyez inconscient de votre environnement, de l'est, de l'ouest, du sud et du nord. Le mental se meut en réaction au monde extérieur et sait quand il est touché. Le moment viendra où toutes les pensées cesseront de s'agiter, et où la conscience restera au repos. Alors tout soudain, vous mettez votre cerveau en morceaux, et vous réalisez pour la première fois que la vérité est en votre propre possession, et l'a toujours été. Cela ne sera-t-il pas une grande satisfaction dans votre vie quotidienne ?

SOHAKU OGATA, *Zen for the West*

Dans ce dessin, il y a des nuages et des pruniers et toute chose est juste comme elle est, 'ainsi'. L'herbe pousse d'elle-même, l'eau coule vers le bas. Toutes choses dans l'univers sont imprégnées de nature divine. Le monde est vivant comme il ne l'a jamais été auparavant. Chaque chose apparaît au garçon dans sa Telléité.

LES DIFFÉRENTS enseignements, les différents techniques des bouddhas et des maîtres Zen ne sont présentés que pour vous permettre de revenir à vous-même, de comprendre votre mental originel et de voir votre propre nature originelle, pour que vous atteigniez un état de grand repos, de grande paix, de grand bonheur.

SOHAKU OGATA, *Zen for the West*

S'ASSEOIR tranquillement, ne rien faire,
Le printemps vient, et l'herbe pousse d'elle-même.

R. H. BLYTH, *Zen in English Literature*

Un jour, un moine demanda à Joshu : «Quelle est la signification de la venue du patriarche de l'Occident ?»
Joshu répondit : «Le chêne dans le jardin.»

Les mots ne représentent pas les faits,
Les déclarations empêchent de comprendre.
Ceux qui suivent les mots perdent leur vie,
Ceux qui sont piégés par les déclarations se perdent.

SOHAKU OGATA, *Zen for the West*

Il y a une méditation, appelée la méditation sur le miracle de l'existence. 'Existence' signifie être dans le présent. 'Le miracle de l'existence' signifie être conscient de ce que l'univers est contenu dans chaque chose, et que l'univers ne pourrait exister s'il ne contenait pas chaque chose. Cette conscience de l'interconnectivité, de l'interpénétration, et de l'interentité, nous met dans l'impossibilité de dire que quelque chose 'est' ou 'n'est pas' ; aussi nous l'appelons 'existence miraculeuse'.

THICH NHAT HANH, *The Sun Is My Heart*

ALORS QU'IL ÉTAIT assailli par un moine Nichiren agressif, qui répétait qu'il ne comprenait pas un mot, Bankei lui demanda de s'approcher. Le moine fit un pas en avant : «Plus près encore» dit Bankei. Le moine se rapprocha encore. «Comme vous me comprenez bien !», dit Bankei.

ANNE BANCROFT, *Spiritual Journey*

KATO-DEWANOKAMI-YASUOKI, seigneur d'Osu dans la province de Iyo, était passionné par les arts militaires. Un jour, le grand maître Bankei l'invita, et ils s'assirent face à face; alors, le jeune seigneur empoigna son épée, et fit mine de transpercer Bankei. Mais le maître en écarta la pointe avec son mala (chapelet) et dit : « Ce n'est pas bon. Vous êtes trop énervé ».

Quelques années plus tard, Yasuoki, qui était devenu un grand escrimeur, dit que c'était Bankei qui lui avait le plus enseigné sur son art.

L. STRYCK, *Zen, Poems, Prayers, Sermons, Anecdotes, Interviews*

CHAQUE JOUR, le moine Baso s'asseyait en zazen.

Maître Nangaku le regarda et dit : «Qu'essayez-vous d'obtenir en vous asseyant ?

– J'essaie de devenir un Bouddha.»

Alors Nangaku prit un morceau de tuile et commença à la frotter contre un rocher devant lui.

– Que faites-vous, Maître ?, demanda Baso.

– Je la polis pour en faire un miroir.

– Comment une tuile polie peut-elle faire un miroir ?

– Comment zazen peut-il faire un Bouddha ?

– Alors, que dois-je faire ?

– Vous exercez-vous au zazen ? Vous efforcez-vous de devenir un Bouddha assis ? Si vous vous exercez au zazen, je dois vous dire que la substance de zazen, ce n'est ni de s'asseoir ni de s'allonger. Si vous vous efforcez de devenir un Bouddha assis, je dois vous dire que le Bouddha n'a pas de forme, comme «s'asseoir». La Voie, qui n'a pas de demeure fixe, ne permet pas de distinctions. Si vous essayez de devenir un Bouddha assis, ce n'est pas moins que tuer le Bouddha. Si vous vous attachez à la forme assise, vous n'atteindrez pas la vérité essentielle.» dit Nangaku. Baso entendit cela, et il se sentit aussi rafraîchi que s'il avait pris la plus délicieuse des boissons.

P. KAPLEAU, *The Three Pillars of Zen*

PENDANT LA MÉDITATION, nous pouvons concentrer toute notre attention sur un seul objet, et la concentration peut se produire. Cette méditation n'est ni passive ni engourdie. Nous maintenons la concentration sur l'objet, de la même façon que le soleil brille continuellement sur la végétation. Nous pouvons aussi synchroniser notre respiration avec notre attention sur l'objet, et cela peut améliorer notre concentration. Si nous utilisons une feuille comme objet de concentration, nous pouvons voir, à travers la feuille, la parfaite unité du mental et de l'univers. Méditer sur l'interexistence et l'interpénétration de la réalité est un moyen de détruire les concepts, et en utilisant ce moyen, nous pouvons arriver à l'expérience directe de la réalité ultime dans le mental et dans le corps, simultanément.

THICH NHAT HANH, *The Sun Is My Heart*

ON DIT PARFOIS que, si l'on n'a pas de maître, la méditation peut être cause de confusion et de déséquilibre, mais il n'est pas toujours possible de trouver un maître réalisé. C'est quelqu'un de rare, mais on peut toujours trouver des maîtres qui n'ont pas pleinement réalisé la Voie. Si vous n'avez pas la possibilité d'étudier avec un maître réalisé, la façon la plus intelligente de procéder, c'est de vous appuyer sur le maître qui est en vous.

THICH NHAT HANH, *The Sun Is My Heart*

VOUS NE SENTEZ pas les sentiments, vous ne pensez pas les pensées, vous ne ressentez pas les sensations, pas plus que vous n'écoutez l'ouïe, ne voyez la vue, ou sentez l'odorat. «Je me sens bien», cela signifie qu'un sentiment agréable est présent. Cela ne signifie pas qu'il y ait une chose appelée 'je', et une chose séparée appelée 'sentiment', que vous rapprocheriez, pour faire en sorte que 'je' ressente le sentiment agréable. Il n'est de sentiments que les sentiments présents, et n'importe quel sentiment présent est 'je'. Personne ne peut trouver de 'je' séparé d'une expérience présente, ou une expérience séparée d'un 'je' – ce qui signifie seulement qu'ils sont une seule et même chose.

ALAN WATTS in *Mystics and Sages*, Anne Bancroft

C'EST SEULEMENT quand vous n'avez rien (non-chose) dans le mental, et pas de mental dans les choses, que vous êtes libre (vide) et spirituel, vide et merveilleux.

TOKUSAN in *Zen Dictionary*, Ernest Wood

VOIR LA NON-RÉITÉ (la vacuité) – c'est la vraie vision, la vision éternelle.

SHEN-HUI in *On Having No Head*, D. E. Harding

On a peur de perdre son mental, peur de tomber dans la Vacuité sans rien pour retenir la chute. On ne sait pas que la Vacuité n'est pas vraiment vide, mais le domaine de la Voie véritable.

JOHN BLOFELD, *The Zen Teaching of Huang Po*

Notre nature originelle est, en vérité suprême [paramârthasatya], vide, silencieuse, pure ; c'est une joie paisible, rayonnante et mystérieuse – et c'est tout. Entrez-y profondément, en vous y éveillant. Ce qui est devant vous, c'est elle, dans toute sa plénitude, tout à fait complète.

JOHN BLOFELD, *The Zen Teaching of Huang Po*

AVANT DE COMMENCER la méditation, faites osciller votre corps latéralement, plusieurs fois, puis prenez plusieurs inspirations lentes et profondes. Gardez votre corps droit, laissant votre respiration revenir à la normale. Beaucoup de pensées se bousculeront dans votre mental... ignorez-les jusqu'à ce qu'elles disparaissent. Ne laissez pas le mental devenir négatif. Pensez que vous ne pouvez pas penser. En d'autres termes, ne pensez à rien. C'est la façon correcte de méditer, selon l'enseignement du Zen.

Quand vous voulez arrêter, levez-vous lentement. Pratiquez cette méditation le matin, le soit, ou à n'importe quel temps libre. Vous réaliserez bientôt que vos fardeaux mentaux s'en vont un par un, et que vous obtenez une sorte de faculté intuitive inconnue jusque-là. Ne pensez pas que les sages n'aient pas besoin de méditer. Les sages et les lourdauds doivent prendre le temps de méditer. La pratique constante conduira chacun à la réalisation de la vérité.

NYOGEN SENZAKI, *Buddhism and Zen*

DANS LE ZEN, les trois exigences sont : grande foi, grand doute et grande détermination – ce sont les 'biens propres', et quelque chose que nous *sommes* – non pas quelque chose que nous *avons*.

ERNEST WOOD, *Zen Dictionary*

SHUZAN BRANDIT son petit bâton et dit : «Si vous appelez ceci un petit bâton, vous vous opposez à sa réalité, parce que vous êtes attaché à son nom. Si vous ne l'appelez pas petit bâton, vous ignorez son existence factuelle. Maintenant, comment voulez-vous appeler ceci ?»

Le commentaire : Shuzan veut savoir ce que c'est. C'est juste. Faites-en l'expérience. N'en parlez pas.

G. KUBOSE, *Zen Koans*

ZAZEN NE SIGNIFIE PAS extase ou éveil de l'émotion ou état particulier du corps ou du mental. Il signifie retourner, complètement, à l'état humain pur, ordinaire. Cet état n'est pas quelque chose réservé aux grands maîtres et aux saints ; il n'y a rien de mystérieux à son sujet, il est à la portée de chacun. Zazen signifie devenir intime avec soi-même, trouvant le goût exact de l'unité intérieure, et l'harmonisant avec la vie universelle.

TAISEN DESHIMARU, *The Zen Way of the Martial Arts*

QUAND, dans le Zen, il est conseillé d'abandonner tous ses concepts, cela doit inclure bien sûr le concept de non-concept.

ERNEST WOOD, *Zen Dictionary*

QUAND VOUS PRENEZ à une personne sa douleur, ses souffrances, vous lui prenez sa vie, sa liberté, son indépendance ; vous la rendez dépendante de vous. C'est un piège pour les thérapeutes et les guérisseurs et aussi les maîtres Zen. Après tout, où en serions-nous, sans nos patients et nos disciples ? Mais notre pratique est de nous dresser sur nos deux pieds aussi vite que possible et d'aider les autres à faire de même. Et l'ironie, c'est que nous dérobons souvent de leur indépendance à ceux que nous aimons le plus, parce que nous tendons à les abriter et à les surprotéger.

Plus vous en parlez et y pensez,
plus vous vous éloignez de la vérité.

K. DURCKHEIM, *The Grace of Zen*

TOUT AU LONG de votre méditation, laissez briller le soleil de votre conscience. Comme le soleil physique qui éclaire toutes les feuilles et tous les brins d'herbe, notre conscience éclaire toutes nos pensées et tous nos sentiments, nous permettant de les reconnaître, d'être conscients de leur naissance, de leur durée et de leur dissolution, sans les juger ou les évaluer, les accueillir ou les bannir.

THICH NHAT HANH, *The Sun Is My Heart*

C'est la dernière étape du voyage. Le garçon maintenant mûr est devenu un homme. Il est à nouveau dans le monde, et maintenant il agit avec les gens sans effort, car il est simple et libre. Sa quête solitaire est finie, il est totalement chez lui, où qu'il soit.

QUAND NOUS REGARDONS une chaise, nous voyons du bois, mais nous n'observons pas l'arbre, la forêt, le menuisier, ou notre propre esprit. Quand nous méditons sur la chaise, nous pouvons y voir l'univers entier dans toutes ses relations entrelacées et interdépendantes. La présence du bois révèle la présence du soleil. La présence de la fleur révèle la présence de la pomme. Les méditants peuvent voir l'un dans le multiple et le multiple dans l'un. La chaise n'est pas séparée. Elle n'existe que dans ses relations interdépendantes avec toutes les autres choses de l'univers. Elle est parce que toutes les autres choses sont.

THICH NHAT HANH, *The Sun Is My Heart*

LE PREMIER dessein de zazen, c'est d'unifier le mental. Pour la personne moyenne, dont le mental est tiré dans de nombreuses directions, la concentration soutenue est pratiquement impossible. Grâce à la pratique de zazen, le mental devient concentré, et, ainsi il peut être contrôlé. Ce processus peut être comparé au passage des rayons du soleil à travers une loupe. Quand les rayons du soleil sont concentrés, ils deviennent, naturellement, plus intenses. Le mental humain fonctionne aussi plus efficacement quand il est concentré et unifié. Que votre désir soit de voir dans votre nature propre ou non, vous pouvez apprécier le bien-être qui résulte de l'intégration mentale.

MAÎTRE YASUTANI in *The Three Pillars of Zen*, P. Kapleau

CET ESPRIT pur, la source de toutes choses, brille à jamais et sur tout, avec l'éclat de sa propre perfection. Les gens ne se s'y éveillent pas, considérant seulement comme l'esprit ce qui voit, entend, sent et connaît. Aveuglés par leur propre vision, ouïe, sentiment, connaissance, ils ne perçoivent pas l'éclat spirituel de la substance-source. Si seulement ils parvenaient à éliminer, en un éclair, toute pensée conceptuelle, cette source-substance se manifesterait comme le soleil montant dans le ciel vide, illuminant tout l'univers, sans obstacle, sans liens. Aussi, si vous, disciples de la Voie, cherchez à progresser grâce à la vision, l'audition, le sentiment, la connaissance, quand vous serez privés de vos perceptions, votre voie vers l'Esprit sera interrompue, et vous ne trouverez nulle part où entrer. Réalisez seulement que, bien que l'Esprit véritable soit exprimé dans ces perceptions, il n'en fait jamais partie, ni n'en est séparé. Vous ne devez pas commencer à raisonner à partir de ces perceptions, ni leur permettre de faire naître une pensée conceptuelle ; mais vous ne devez pas chercher l'Esprit en dehors d'elles ou les abandonner dans la poursuite de la Voie. Ne les gardez pas, ne les abandonnez pas, ne demeurez pas en elles, ne les suivez pas. Au-dessus de vous, au-dessous de vous, autour de vous, tout existe spontanément, car il n'est aucun lieu qui soit hors de l'Esprit.

JOHN BLOFELD, *The Zen Teaching of Huang Po*

La lutte entre le pour et le contre est la pire maladie du corps.

ERNEST WOOD, *Zen Dictionary*

Tous les Bouddha et tous les êtres sensibles ne sont que l'Esprit, en dehors duquel il n'est rien. Cet esprit, qui est sans commencement, est non né et indestructible. Il n'est ni vert ni jaune, et n'a ni forme ni apparence. Il ne ressortit pas aux catégories de l'être et du non-être ; on ne peut non plus y penser selon le critère d'âge. Il n'est ni long ni court, ni grand ni petit, car il transcende toutes les limites, les mesures, les noms, les traces et les comparaisons. C'est ce que vous voyez devant vous – commencez à raisonner à son sujet, et vous tomberez immédiatement dans l'erreur.

JOHN BLOFELD, *The Zen Teaching of Huang Po*

Quand vous êtes attaché à la forme, vous devez cesser d'errer ; vous devez regarder de façon pénétrante dans votre nature inhérente, en concentrer votre énergie spirituelle, vous asseoir en zazen, et faire votre percée.

BASSUI in *Crazy Clouds*, Perle Besserman

Il y a une réalité antérieure même au ciel et à la terre ;
Elle n'a pas de forme, encore moins de nom ;
Les yeux ne peuvent la voir ;
Elle n'a pas de voix que les oreilles peuvent détecter ;
L'appeler Esprit ou Bouddha viole sa nature,
Car elle devient alors comme une fleur de vision dans
l'air ;
Elle n'est ni Esprit, ni Bouddha ;
Absolument calme, et cependant illuminant d'une façon
mystérieuse,
Elle se laisse percevoir par qui a la vision claire.
Elle est vraiment entre forme et son ;
Elle est la Voie, n'ayant aucun rapport avec les mots.
Désirant attirer l'aveugle,
Le Bouddha a, par jeu, laisser des paroles s'échapper de sa
bouche d'or ;
Le ciel et la terre sont depuis remplis de ronces dans
lesquelles on s'empêtre.
Ô mes bons amis rassemblés ici,
Si vous désirez écouter la voix de tonnerre de la Voie,
Épuisez vos paroles, videz vos pensées,
Pour pouvoir reconnaître cette Essence.

DAI-O KOKUSHI in *Manual of Zen Buddhism*, D. T. Suzuki

L'ART DU ZEN

UN HAÏKU n'est pas un poème ; ce n'est pas de la littérature ; c'est une main qui reconnaît, une porte à demi-ouverte, un miroir nettoyé. C'est un moyen de retourner à la nature.

ERNEST WOOD, *Zen Dictionary*

LES PEINTRES modernes ne portent leur attention que sur le pinceau et l'encre, alors que les anciens concentraient leur attention sur l'absence de pinceau et d'encre. Si l'on est capable de réaliser comment les anciens portaient leur attention sur l'absence de pinceau et d'encre, on n'est pas loin de parvenir à la qualité divine de la peinture.

TOSHIHIKO IZUTSU, *Toward a Philosophy of Zen Buddhism*

LE ZEN de la vision est une voie menant du demi-sommeil au plein éveil. Soudain, il y a le miracle d'être vraiment éveillé, avec tous les sens qui fonctionnent. L'œil qui voit est le je qui fait l'expérience de lui-même dans ce qu'il voit. Il devient conscient de lui-même, il réalise qu'il est une partie intégrante du grand continuum de tout ce qui est. Il voit les choses telles qu'elles sont.

Rien n'est le moindre symbole de quoi que ce soit, sinon de soi-même. Une rose n'est pas le symbole de l'amour, ni un rocher celui de la force. Une rose est une rose dont on fait l'expérience dans sa telléité. La dessiner, c'est dire 'Oui' à son existence, et à la mienne.

FREDERICK FRANCK, *The Zen of Seeing*

LE BUT DE LA PHILOSOPHIE et de l'art Zen, n'est pas de fournir une reproduction de la vie dans les mots ou la peinture, car la chose authentique est meilleure que toute reproduction. Leur dessein, c'est de donner une indication, à voir par soi-même. Ainsi, les artistes chinois comprenaient mieux que les autres la valeur des espaces vides, et, dans un certain sens, ce qui n'était pas représenté était plus important que ce qui l'était ; c'était une réticence alléchante, un vide qui suscitait la curiosité ; ils levaient juste un coin du voile pour inciter les gens à découvrir par eux-mêmes ce qui se trouve au-delà. C'était le principe taoïste de *wu-weï*, d'agir sans-agir. Avec quelques coups de pinceau, l'artiste Sung pouvait réaliser plus que d'autres ne pouvaient le faire après des semaines de travail soigneux, car sa puissance était dans son économie de force.

ALAN WATTS, *Does It Matter ?*

MAÎTRE SESSAN a dit : « Le secret de la vision des choses telles qu'elles sont, c'est de supprimer nos spectacles colorés. Cet être-comme-il-est, sans rien d'extraordinaire à son sujet, rien de merveilleux, est une grande merveille. La capacité à voir les choses de façon 'normale' n'est pas une petite chose ; être vraiment normal est inhabituel. C'est dans cette normalité que l'inspiration commence à bouillonner. »

D. T. SUZUKI, *Essays in Zen Buddhism*

La fleur solitaire d'automne est vue s'épanouissant tranquillement sur un fond blanc. Ce n'est pas une simple image d'une fleur unique, car la fleur représentée évoque la présence de la Nature qui s'étend infiniment au-delà. Et ce faisant, la fleur dévoile à notre œil intérieur la solitude cosmique et la quiétude de tous les êtres solitaires du monde. Même un fruit ou un légume peuvent, dans ce sens, constituer le sujet d'une peinture du paysage. *Six kakis* de Mu Ch'i, ce dessin si célèbre, en est un bon exemple. Dans son extrême simplification de la forme des kakis, dessinés et peints selon différentes nuances d'encre noire, c'est une représentation picturale du vaste cosmos. La philosophie sous-jacente est la métaphysique Zen qui voit en une chose, en chaque chose singulière, toutes les choses contenues.

TOSHIHIKO IZUTSU, *Toward a Philosophy of Zen Buddhism*

La grande erreur, dans l'art de l'épée, est d'anticiper l'issue de l'engagement ; vous ne devez pas penser à la victoire ou à la défaite qui sont au bout. Laissez juste la Nature suivre son cours, et votre épée frappera au bon moment.

D. T. SUZUKI, *Zen and Japanese Culture*

Quand on se rend au temple d'Obaku à Kyôto, on voit gravés sur le portail les mots suivants : 'Le Premier Principe'. Les lettres sont exceptionnellement grandes, et ceux qui apprécient la calligraphie les considèrent toujours comme un chef-d'œuvre. Elles ont été tracées par Kosen il y a deux siècles.

Quand le maître les traça, il le fit sur du papier, et c'est à partir de ce tracé que des ouvriers les gravèrent dans le bois. Tandis que Kosen faisait sa calligraphie, un disciple audacieux l'accompagnait, qui avait fait des litres d'encre pour cela, et qui n'hésita jamais à critiquer l'œuvre de son maître.

«Ce n'est pas bien, dit-il à Kosen après le premier essai.

– Et celui-ci, comment est-il ?

– Mauvais. Pire que le précédent», dit le disciple.

Kosen, patiemment, couvrit de sa calligraphie une feuille après l'autre, jusqu'à ce que les quatre-vingt-quatre principes fussent accumulés, mais sans avoir obtenu l'approbation de son disciple.

Puis, quand le jeune homme sortit quelques instants, Kosen pensa : «C'est maintenant que je dois saisir ma chance d'échapper à son regard acéré', et il écrivit très vite, l'esprit dépourvu de distraction : 'Le Premier Principe'.

«Un chef-d'œuvre», dit le disciple.

TREVOR LEGGETT, *The Old Zen Master*

COMME j'aimerais que les gens
Entendent le bruit de la neige qui tombe
Dans la nuit qui noircit.

ANNE BANCROFT, *The Luminous Vision*

ZAZEN – méditation assise – est généralement considéré comme une préparation indispensable à l'expérience Zen du *satori* (illumination). C'est une discipline d'attention concentrée, que l'on pratique avec persévérance jusqu'à ce que la vision intérieure fasse une percée... Mais pour ma part, je ne suis pas bon dans l'art de rester longtemps dans une position. Je crois qu'en Voyant/Dessinant, il y a un moyen d'ouvrir le 'Troisième Œil', de concentrer l'attention jusqu'à ce qu'elle devienne contemplation, et de là, à l'inexprimable plénitude, où la séparation entre le voyant et le vu disparaît. Œil, cœur, main, ne font plus qu'un avec ce qui est vu et dessiné, les choses sont vues comme elles sont – dans leur 'êtreté'. Voyant les choses ainsi, je sais qui je suis !

C'est pour VOIR vraiment, pour VOIR toujours plus profondément, toujours plus intensément, et ainsi, pour être pleinement éveillé et vivant, que je dessine ce que les Chinois appellent les 'Dix Mille Choses' autour de moi. Dessiner est la discipline par laquelle je redécouvre constamment le monde.

FREDERICK FRANCK, *The Zen of Seeing*

ORDRE ET INVENTIVITÉ – telles sont les caractéristiques des jardins Zen, et ils symbolisent maintes choses. Ainsi, dans le temple de Ryonanji, il y a un jardin, ou plus précisément, juste un espace, principalement du sable blanc ratissé, avec les lignes estompées du râteau marquées autour. Et émergeant du sable, quinze rochers assortis en cinq groupes. C'est un poème géologique mystérieux ; c'est une sorte de symphonie rocheuse contemplative. Qu'est-ce que cela signifie ? Tout mode d'expression souille la destruction Zen des concepts, mais à défaut de silence, il convient de dire ce qu'évoque tant l'art Zen – les blancs des images sont des signes du Vide et de cette vraie vacuité du mental qui est la plénitude de l'illumination. Le sable ratissé est blanc ; les rochers sont tout ce qui peut ressortir, peut-être, de la mer de la vacuité, et eux aussi sont vides.

NINIAN SMART, *Background to the Long Search*

LES ARBRES montrent la forme corporelle du vent ;
Les vagues donnent l'énergie vitale à la lune.

Dit moins poétiquement – l'expérience humaine est déterminée autant par la nature du mental et la structure de ses sens, que par les objets extérieurs dont le mental révèle la présence.

ALAN WATTS *in Spiritual Journey,* Anne Bancroft

POUR LE PEINTRE Zen, tout est inspiré... Le peintre se concentre d'abord et surtout sur la pénétration dans 'l'esprit' des choses qu'il veut peindre. 'L'esprit' d'une chose est la... base ultime de son être, au-delà de sa couleur et de sa forme extérieures. C'est cette force spirituelle impénétrable, le souffle de vie, l'essence la plus profonde d'une chose, qui est considérée comme faisant d'une peinture une œuvre d'art véritable, quand le peintre inspiré a réussi à la transmettre par le pinceau et l'encre.

TOSHIHIKO IZUTSU, *Toward a Philosophy of Zen Buddhism*

L'IMMÉDIATETÉ de l'action de votre part aboutira inévitablement à l'autodéfaite de l'adversaire (escrimeur). C'est comme un bateau descendant en glissant sans heurt les rapides ; dans le Zen, comme dans l'escrime, un esprit de non-hésitation, non-interruption, non-médiation, est très estimé. Dans le Zen, sont souvent évoqués l'éclair ou les étincelles résultant de l'entrechoc de deux silex. Si l'on pense que cela évoque la rapidité, on commet une grave faute. L'idée est de montrer l'immédiateté de l'action, un mouvement ininterrompu d'énergie vitale.

TAKUAN in *Spiritual Journey*, Anne Bancroft

Un soldat du nom de Nobushige vint voir Hakuin, et demanda : 'Y a-t-il vraiment un paradis et un enfer ?

– Qui êtes-vous ?, demanda Hakuin.

– Je suis un samouraï, répondit le guerrier.

– Vous, un soldat !, s'exclama Hakuin. Quel prince vous prendrait à son service ? Votre visage ressemble à celui d'un mendiant.

Nobushige devint si furieux qu'il commença à tirer son épée, mais Hakuin continua : 'Ainsi, vous avez une épée ! Votre arme est probablement beaucoup trop émoussée pour me couper la tête.'

Comme Nobushige dégainait, Hakuin dit : 'Ici s'ouvrent les portes de l'enfer !'

À ces mots, le samouraï, percevant la maîtrise et la discipline de Hakuin, remit son épée dans son fourreau et salua.

'Ici s'ouvrent les portes du paradis', dit Hakuin.

PAUL REPS, *Zen Flesh, Zen Bones*

Le rôle du Zen dans les arts martiaux, défie toute définition facile, parce que le Zen n'a pas de théorie ; c'est une connaissance intérieure pour laquelle il n'y a pas de dogmes définis. Son but ultime est de libérer l'individu de la colère, de l'illusion, et de la fausse passion.

JOE HYAMS, *Zen in the Martial Arts*

LE MENTAL doit toujours 'fluer', car lorsqu'il s'arrête, cela signifie que le flux est interrompu et c'est cette interruption qui est dommageable pour le bien-être du mental. Pour l'homme d'épée, cela signifie mort.

Quand l'escrimeur se tient devant un adversaire, il ne doit pas penser à l'adversaire, ni à lui-même, ni aux mouvements de l'épée de son ennemi. Il se tient juste là avec son épée qui, oublieuse de toute technique, n'est prête qu'à obéir à l'inconscient. L'homme s'est effacé comme 'manieur' de l'épée. Quand il frappe, ce n'est pas l'homme, mais l'épée entre les mains de l'inconscient, qui frappe.

JOE HYAMS, *Zen in the Martial Arts*

POUR CE QUI est du koan, vous devez relever ce qui a été un sujet de doute toute votre vie, et le mettre sur votre front. Est-ce quelque chose de sacré, ou quelque chose de commun ? Est-ce une entité, ou une non-entité ? Pressez votre question jusqu'au bout. N'ayez pas peur de vous plonger dans la vacuité ; découvrez ce qui entretient le sentiment de peur. Est-ce un vide, n'en est-ce pas un ?

TAI-HUI in *Studies in Zen*, D. T. Suzuki

Ce qui rapproche le plus l'art de l'épée du Zen, que n'importe quel autre art qui a pu se développer au Japon, c'est qu'il implique le problème de la mort de la façon la plus imminente. Si l'homme fait un faux mouvement, il est perdu, et il n'a pas de temps pour la conceptualisation ou les actes calculés. Tout ce qu'il fait, doit venir immédiatement de son 'mécanisme' intérieur, qui n'est pas sous le contrôle de la conscience. Il doit agir instinctivement et non intellectuellement. Au moment de la lutte la plus intensément concentrée pour la vie et la mort, ce qui compte le plus, c'est le temps, qui doit être utilisé de la façon la plus efficace. S'il y a le moment le plus infime de relâchement, l'ennemi le sent instantanément, et ne perd pas de temps pour en profiter – ce qui signifie pour soi la destruction. Ce n'est pas une simple affaire de défaite et d'humiliation.

Le moment d'intense concentration est celui où une identification parfaite se produit entre le sujet et l'objet, la personne et son comportement. S'il n'est pas réalisé, cela signifie que le champ de conscience n'a pas encore été complètement purifié : qu'il reste une 'trace subtile de pensée', qui interfère avec un acte qui vient directement et immédiatement de la personne – c'est-à-dire, psychologiquement parlant, de l'Inconscient. La conséquence en est certainement déplorable, car l'épée menaçante frappera la brèche de conscience interférante.

C'est la raison pour laquelle il est toujours conseillé à l'escrimeur de se libérer de la pensée de mort et de l'anxiété concernant l'issue du combat. Tant qu'il y a la moindre 'pensée', de quelque nature qu'elle soit, le désastre est assuré.

D. T. SUZUKI, *Zen Doctrine of No Mind*

UN BON PRATIQUANT des arts martiaux n'a à l'esprit qu'une seule chose à la fois. Il prend chaque chose comme elle vient, en finit avec, et passe à la suivante. Comme un maître Zen, il n'est pas intéressé par le passé ou le futur, seulement par ce qu'il fait en ce moment. Parce que son mental est resserré, il est calme, et capable de garder de la force en réserve. Et alors il n'y aura de place que pour une seule pensée, qui emplira son être entier comme l'eau remplit un pichet.

JOE HYAMS, *Zen in the Martial Arts*

DANS LE paysage de printemps, il n'y a ni haut ni bas ;
Les branches fleuries poussent naturellement, certaines
longues, certaines courtes.

R. H. BLYTH, *Zen in English Literature*

NOUS, maîtres archers, disons : avec l'extrémité supérieure de l'arc, l'archer perce le ciel, et à l'extrémité inférieure, comme attachée par un fil, pend la terre. Si le tir est effectué avec une secousse, le fil risque de se rompre. Pour les gens déterminés [attachés au but] et violents, la rupture est fatale, et ils restent dans le centre horrible, entre ciel et terre.

'Alors, que dois-je faire ?, demandai-je pensivement.

– Vous devez apprendre à attendre le bon moment.

– Et comment apprend-on cela ?

– En vous vidant de vous-même, en vous abandonnant vous-même, et tout ce qui est vôtre, si radicalement, qu'il ne reste rien de vous, qu'une tension sans dessein.'

EUGEN HERRIGEL, *Zen in the Art of Archery*

LE HAÏKU est un moyen de revenir à la nature, à notre nature de lune, notre nature de fleur de cerisier, en bref, à notre nature véritable. C'est une voie dans laquelle la pluie froide d'hiver, les hirondelles du soir, même le jour dans sa chaleur et la longueur de la nuit, deviennent vraiment vivants, partagent notre humanité, parlent leur propre langage silencieux et expressif.

R. H. BLYTH in *Spiritual Journey*, Anne Bancroft

LA GLOIRE du matin qui s'épanouit pendant une heure
Ne diffère pas au fond du pin géant
Qui vit mille ans.

R. H. BLYTH, *Zen in English Literature*

LES MAÎTRES Sung furent avant tout des peintres de paysage, créateurs d'une tradition de 'peinture de nature' qui n'a guère été dépassée en aucun lieu du monde. Car elle nous montre la vie de la nature – des montagnes, des eaux, des brumes, des rochers, des arbres, et des oiseaux – telle qu'elle est sentie par le taoïsme et le Zen. C'est un monde auquel l'homme appartient, mais que l'homme ne domine pas ; il est suffisant en soi, car il n'a pas été 'fait pour' quelqu'un, et il n'a aucun dessein propre. Comme l'a dit Hsuan-chueh :

Sur la rivière, la lune brillante ; dans les pins, le vent
soupirant ;
Toute la nuit si tranquille – pourquoi ? Et pour qui ?

ALAN WATTS in *Spiritual Journey*, Anne Bancroft

LES OIES sauvages n'ont pas l'intention de jeter leur reflet ;
L'eau ne pense pas recevoir leur image.

HAKUIN in *Zen in English Literature*, R. H. Blyth

MÊME QUAND le moine ou l'artiste Zen dessine un cercle solitaire – l'un des thèmes les plus communs de *zenga* – il n'est pas seulement légèrement excentré et déformé, mais la texture même de la ligne est pleine de vie et de verve, avec des éclaboussures incidentes et des brèches du 'pinceau brut'. Le cercle abstrait ou 'parfait' devient concret et naturel – un cercle vivant – c'est ainsi qu'apparaissent à l'œil chinois les rochers et les arbres, les nuages et les eaux, à la différence des formes intelligibles du géomètre et de l'architecte.

ALAN WATTS, *The Way of Zen*

AINSI LA VIE sans dessein est le thème constant de l'art Zen de n'importe quelle sorte, exprimant l'état intérieur de l'artiste, qui est de n'aller nulle part au moment présent. Tous les hommes ont ces moments occasionnellement, et c'est alors qu'ils saisissent ces vivants aperçus du monde qui jettent un tel éclat sur les pertes de mémoire interstitielles – l'odeur de feuilles qui brûlent par un matin de brume matinale, un vol de pigeons éclairés par le soleil, contre un nuage d'orage, le bruit d'une cascade invisible au crépuscule, ou le cri solitaire d'un oiseau non identifié au plus profond d'une forêt. Dans l'art du Zen, tout paysage, tout dessin de bambous courbés par le vent, ou de rochers solitaires, est un écho de tels moments.

ALAN WATTS in *Spiritual Journey*, Anne Bancroft

NEIGE fondue tombant ;
Insondable, infinie
Solitude.

BASHO in *The Way of Zen*, Alan Watts

DANS LA forêt sombre
Une baie tombe
Le bruit de l'eau.

R. H. BLYTH, *Zen in English Literature*

LES ÉTOILES sur l'étang
L'averse d'hiver
Trouble l'eau.

R. H. BLYTH, *Zen in English Literature*

SUR UNE branche morte
La corneille est perchée
Dans le soir d'automne.

R. H. BLYTH, *Zen in English Literature*

AVEC LA brise du soir
L'eau clapote
Contre les pattes du héron.

R. H. BLYTH, *Zen in English Literature*

QUAND, telles qu'elles sont,
Les gouttes blanches de rosée s'assemblent
Sur les feuilles rouges d'érable,
Regardez les perles rouges !

L. STRYCK, *Zen : Poems, Prayers, Sermons, Anecdotes, Interviews*

EN DISPOSANT plusieurs arbres, bambous et pierres, un jardinier Zen compétent peut donner aux gens l'impression qu'ils sont au cœur de montagnes escarpées et de sombres vallées, alors qu'ils ne sont que dans un petit jardin au milieu d'une grande ville.

SOHAKU OGATA, *Zen for the West*

JE DEMANDE si le Zen peut être utilisé par des artistes, comme il a pu l'être par le grand peintre maître Sesshu pour réaliser le bon état d'esprit pour une production artistique sérieuse. La réponse du maître : «Le Zen n'est pas quelque chose à 'utiliser', l'art Zen n'est rien de plus que l'expression de l'esprit Zen.»

L. STRYCK, *Zen : Poems, Prayers, Sermons, Anecdotes, Interviews*

LE DESSEIN ULTIME du koan est d'aller au-delà des limites de l'intellect. Ce qui ne peut être résolu par la logique est alors transféré aux recoins de l'être les plus profonds. Le koan se refuse à toute résolution facile. Mais une fois qu'il est résolu, le koan est un morceau de brique utilisé pour ouvrir une porte ; quand la porte est ouverte, la brique est jetée. Le koan est utile tant que les portes psychologiques sont fermées, mais quand elles sont ouvertes, on peut l'oublier. Ce que l'on verra après l'ouverture, ce sera quelque chose de tout à fait inattendu, quelque chose qui n'est jamais entré dans notre imagination. Mais quand le koan est réexaminé de ce point de vue nouvellement acquis, combien il est merveilleusement suggestif, combien il est construit avec justesse, bien qu'il n'y ait là rien d'artificiel !

D. T. SUZUKI, *Manual of Zen Buddhism*

Un jour, un moine demanda à Joshu : «Dites-moi quelle est la vérité ultime du bouddhisme Zen ?»

Joshu répondit : «Le cyprès dans la cour.»

Le monde entier est le cyprès. Joshu est le cyprès. Il n'y a, en bref, rien d'autre que la conscience du cyprès, parce que, à ce point zéro métaphysique, l'Être même, dans sa non-différenciation même, s'illumine lui-même, cyprès, unique et universel en même temps.

LU K'UAN YU, *Ch'an and Zen Teaching, Série 2*

Question claire, réponse profonde,
Particule de terre, chaque instant une réalité,
Un appel d'oiseau transperce l'aube de la montagne
Regardez où le vieux maître s'assoit, un rocher, en Zen.

SONO in *Zen : Poems, Prayers, Sermons, Anecdotes, Interviews*, L. Stryck

NOTRE TECHNIQUE doit être abandonnée. Nous pensons : «Quoi ?», au judo, quand le maître dit : «Vous avez maîtrisé cela. Maintenant, laissez tomber pendant au moins six mois», nous pensons : «Quoi ? Je n'ai pas le droit de faire cela ? Je vais sur le tapis, et je n'ai pas le droit d'utiliser ma meilleure prise. J'ai dû essayer d'autres choses que je ne peux pas faire – je suis contré, j'ai l'air vraiment d'un idiot !» Peu nombreux sont ceux qui échappent à cette épreuve. Nous pensons : «Oh non, non ! Je ne vais pas faire cela !», et nous revenons à ce que nous pouvons faire, et nous obtenons quelque réussite. Mais ceux qui font confiance au maître, et qui réalisent que le maître a confiance en eux, ils persistent, et ils commencent alors à acquérir un mouvement libre, non fixé sur un point – ils peuvent se mouvoir librement. Si l'occasion se présente, ils peuvent la saisir ; si c'est là, ils peuvent le prendre – ils ne sont pas fixés.

TREVOR LEGGETT, *Fingers and Moons*

RAFRAÎCHISSANT, le vent contre la cascade
Quand la lune suspend une lanterne sur le pic
Et la fenêtre de bambou rayonne. Dans la vieillesse les
montagnes
Sont plus belles que jamais. Ma résolution :
Que ces os soient purifiés par les rochers.

JAKUSEITSU in *Zen : Poems, Prayers, Sermons, Anecdotes, Interviews*, L. Stryck

PAS UNE NOTE dans la lumière au-dessus,
L'âme elle-même ne peut offrir une telle vision.
Bien que l'aube ne soit pas encore venue, le coq appelle :
Le phénix, fleur au bec, accueille le printemps.

TSUGEN in *Zen : Poems, Prayers, Sermons, Anecdotes, Interviews*,
L. Stryck

C'EST DANS l'expérience immédiate, dans la luciole plutôt que dans l'étoile, que se trouve le Zen.

L. STRYCK, *Zen : Poems, Prayers, Sermons, Anecdotes, Interviews.*

LES OMBRES du bambou balaient les marches,
Mais aucune poussière n'est agitée ;
La lumière de la lune pénètre dans la profondeur du
bassin
Mais aucune trace n'est laissée dans l'eau.

ERNEST WOOD, *Zen Dictionary*

Le but de chaque koan est de libérer le mental du piège du langage, qui est la camisole de force de l'expérience. Les koans sont ainsi formulés qu'ils nous jettent du sable dans les yeux, pour nous forcer à ouvrir notre œil du Mental et voir le monde et toutes choses sans distorsion. Les koans prennent comme sujets tangibles, des entités communes comme un chien, un arbre, un visage, un doigt, pour nous faire voir, d'une part, que chaque objet a une valeur absolue, et d'autre part, pour arrêter la tendance de l'intellect à s'ancrer dans des concepts abstraits. Mais la signification de chaque koan est la même, à savoir que le monde est un Tout interdépendant, et que chaque partie singulière est ce Tout.

MAÎTRE YASUTANI in *The Three Pillars of Zen*, P. Kapleau

MENER UNE VIE ZEN

SUIVRE LA VOIE de l'oiseau est une expression du Zen, qui signifie 's'envoler', au lieu de s'attacher et de s'accrocher à des objets particuliers. L'idée est de vivre sans voie tracée, comme un oiseau volant dans l'air, mais il ne faut pas prendre cela pour un but, car c'est seulement un moyen d'une forme particulière d'esclavage, et cela même doit être transcendé.

ERNEST WOOD, *Zen Dictionary*

DANS LE ZEN, on peut dire : l'être complètement illuminé ne s'appuie plus sur un code moral extérieur, mais fait naturellement le bien et s'abstient de faire le mal, mû par le plus profond de son Cœur.

D.T. SUZUKI, *Essays in Zen Buddhism*

SI VOUS ne croyez pas, regardez juste septembre,
considérez octobre !
Les feuilles jaunes qui tombent, tombent, pour remplir la
montagne et la rivière.

BASHO in *Spiritual Journey*, Anne Bancroft

DE RICHES mécènes invitèrent Maître Ikkyu à un banquet. Le maître y vint, vêtu en mendiant. Son hôte, ne le reconnaissant pas dans ce costume, le repoussa : «Vous ne pouvez pas rester devant notre porte. Nous attendons le célèbre Maître Ikkyu à tout moment.» Le maître rentra chez lui, revêtit la robe cérémonielle en brocart pourpre et se présenta à nouveau à la porte de son hôte. Il fut reçu avec tout le respect qui lui était dû et entra dans la salle du banquet. Là, il déposa sa robe de cérémonie sur le coussin qui lui était destiné, et dit : «Je crois que vous avez invité la robe, car vous venez de me chasser», et il partit.

TREVOR LEGGETT, *A First Zen Reader*

CE MENTAL 'sans arrêt' est appelé fluidité, qui est aussi appelée 'mental vide' ou 'mental quotidien'. Avoir quelque chose à l'esprit signifie qu'il est préoccupé, et qu'il n'a pas de temps pour quoi que ce soit d'autre. Mais s'efforcer d'enlever les pensées qui y sont déjà, c'est le remplir avec d'autres choses. Alors, que faire ? Ne faites rien ! Ne le résolvez pas – dissolvez-le – pas d'histoire, sans affaire – c'est le mental quotidien, rien de spécial.

BRUCE LEE, *Striking Thoughts*

IL N'A JAMAIS été plus urgent de parler de vision. De plus en plus de gadgets, des appareils photo aux ordinateurs, des livres d'art aux vidéos, conspirent à s'emparer de notre pensée, de notre sentiment, de notre expérience, de notre vision. Nous sommes des spectateurs... Nous sommes des 'sujets', qui regardent des 'objets'. Nous mettons bien vite des étiquettes sur tout, des étiquettes qui collent une fois pour toutes. Grâce à ces étiquettes, nous reconnaissons toutes choses, mais nous ne voyons plus rien. Nous connaissons les étiquettes sur les bouteilles, mais nous ne goûtons plus le vin. Des millions de gens, ne voyant pas, sans joie, traversent en trombe la vie, dans leur demi-sommeil, frappant, et tuant ce qu'ils ont à peine perçu. Ils n'ont jamais appris à voir, ou ils ont oublié que l'homme a des yeux pour voir, pour expérimenter.

FREDERICK FRANCK, *The Zen of Seeing*

QUAND vous êtes à la fois vivant et mort,
Profondément mort à vous-même,
Combien superbes
Sont les petits plaisirs !

BUNAN in *One Robe, One Bowl*, John Stevens

UN VIEUX MAÎTRE a dit : «Retournez votre cœur et entrez dans l'origine. Ne cherchez pas ce qui en est issu ! Si vous voulez connaître l'origine, pénétrez dans votre propre cœur original. Ce cœur est la source de tous les êtres dans le monde et hors du monde. Quand le cœur s'agite, beaucoup de choses apparaissent. Mais quand le cœur devient complètement vide, les diverses choses deviennent aussi vides. Si votre cœur n'est conduit ni par le bien ni par le mal, toutes les choses sont juste ce qu'elles sont.»

IRMGARD SCHLOEGL, *La Sagesse des Maîtres Zen*

QUAND RYONEN fut sur le point de quitter ce monde, elle écrivit un autre poème :

SOIXANTE-SIX fois ces yeux ont vu la scène changeante de l'automne,
J'ai eu mon content de clair de lune,
Ne demandez plus,
Écoutez seulement la voix des pins et des cèdres quand aucun vent ne souffle.

R. H. BLYTH, *Zen in English Literature*

COMME c'est merveilleusement surnaturel,
Et comme c'est miraculeux !
Je tire de l'eau, et je porte du combustible.

D. T. SUZUKI, *Studies in Zen*

JUSTE AVANT que Ninakawa ne passe, le maître Zen Ikkyu lui rendit visite. 'Dois-je vous conduire ?', demanda Ikkyu.

Ninakawa répondit : – Je suis venu ici et je m'en vais seul. Quelle aide pourriez-vous bien m'apporter ?'

Ikkyu répondit : 'Si vous pensez que vous allez et venez réellement, c'est votre illusion. Laissez-moi vous montrer la voie où il n'y a ni allée ni venue.'

Avec ces mots, Ikkyu avait si clairement révélé la voie que Ninakawa sourit et passa.

PAUL REPS, *Zen Flesh, Zen Bones*

LE PIC-vert
Reste au même endroit :
Le jour finit.

R. H. BLYTH, *Zen in English Literature*

青松鶴侶

LE LAÏQUE P'ang était un jour allongé sur sa couche, lisant un sûtra. Un moine le vit et dit : 'Laïque ! Tu dois observer une attitude digne quand tu lis un sûtra.'
Le laïque leva une jambe.
Le moine ne put rien dire.

TREVOR LEGGETT, *The Old Zen Master*

POUVOIR miraculeux et activité merveilleuse
Puiser de l'eau et couper du bois

ZENRIN in *The Luminous Vision*, Anne Bancroft

SANS REGARDER vers le lendemain, à chaque instant, vous ne devez penser qu'à ce jour et à cette heure. Parce que demain est non établi et difficile à connaître, vous devez penser à suivre la voie bouddhiste alors que vous vivez aujourd'hui... Vous devez vous concentrer sur la pratique du Zen sans perdre de temps, pensant qu'il n'y a que ce jour et cette heure. Après, cela devient vraiment facile. Vous devez oublier le bon et le mauvais de votre nature, la force ou la faiblesse de votre pouvoir.

R. MASANUGA, *The Standpoint of Dogen and His Treatise on Time*

L'ARBRE est dépouillé,
Toute couleur, tout parfum partis,
Mais déjà sur le rameau,
Indifférent, le printemps !

L. STRYCK, *Zen : Poems, Prayers, Sermons, Anecdotes, Interviews.*

TOUS LES ÊTRES sont éveillés dès le commencement ;
C'est comme la glace et l'eau ;
En dehors de l'eau, aucune glace ne peut exister.
En dehors des êtres sensibles, où cherchons-nous
l'illumination ?
Ne sachant pas combien proche est la Vérité,
Les gens s'en vont la chercher au loin...
Ils sont comme celui qui, au milieu de l'eau,
Crie qu'il meurt de soif.

HAKUIN in *Spiritual Journey*, Anne Bancroft

LES GENS ORDINAIRES pensent qu'ils doivent avoir une raison pour faire quelque chose, mais pratiquer avec un but à l'esprit, rend impossible de parvenir à l'état de non-mental.

NYOGEN SENZAKI, *Buddhism and Zen*

CET ÊTRE satisfait ou fier n'est, après tout, rien de plus qu'une continuation des pensées de notre soi idiot. Cependant, dans notre zazen, c'est précisément au point où ce petit soi, notre soi stupide, est insatisfait ou complètement désorienté, que l'immesurable vie naturelle au-delà des pensées du petit soi est activée. C'est précisément au point où nous sommes complètement perdus que cette vie opère.

KOSHO UCHIYAMA ROSHI, *Approach to Zen*

UN JOUR de la fin du mois de mars, alors que je balayais le jardin, un sentiment me vint soudain : ne sommes-nous pas, moi et le monde, un seul ? Peut-il y avoir quelque chose comme un ego solitaire ? Je ne balaie pas le jardin avec un balai de bambou. Le balai bouge, faisant un bruit, et tournant ses yeux vers le sol, pour ainsi dire. Ce sol n'est rien d'autre qu'une partie de la terre entière. Ainsi, je suis moi-même uni à la terre entière. Le bruit du balai ne pourrait pas se produire si moi et le balai et toute la terre, n'existions pas ici. Ils sont inséparablement connectés.

H. DUMOULIN, *Zen Enlightenment*

SUR LE MONT Wu-t'ai les nuages sont du riz fumant ;
Devant la vieille salle du Bouddha, les chiens pissent au ciel.

TOYO EICHO in *The Way of Zen*, Alan Watts

UN SEUL coup, et j'ai perdu toute ma connaissance !
La discipline artificielle n'est d'aucune utilité,
Car, quoi que je fasse, je manifeste la Voie ancienne.

WU-TENG HUI-YUAN in *The Way of Zen*, Alan Watts

S'ASSEOIR tranquillement, ne rien faire,
Le printemps vient, et l'herbe pousse toute seule.

TOYO EICHO in *The Way of Zen*, Alan Watts

'OH ! VOICI l'entrée dans la réalité telle que la réalité est', dit un disciple dans le jardin du monastère... 'Toutes choses en mouvement vivant et comme invitant mon regard. Toutes les choses sont à leur place ou elles demeurent en sûreté à leur place, et semblent respirer. J'ai été capable de découvrir l'existence d'un monde non pénétré par la connaissance. La couleur d'une fleur était incomparablement resplendissante. Ne rien laisser.'

H. DUMOULIN, *Zen Enlightenment*

L'ALOUETTE des champs :
Sa voix seule est tombée,
Comprenant tout.

TOYO EICHO in *The Way of Zen*, Alan Watts

NOUS SOMMES tous les disciples du même maître, avec lequel à l'origine les institutions religieuses ont travaillé : la réalité. Les propos de la vision de la réalité prennent un sens de politique et d'histoire immédiates, prennent le contrôle de votre propre temps ; maîtrisez les vingt-quatre heures. Faites-le bien, sans apitoiement sur vous-même. Il est aussi dur de surveiller des enfants dans un bus que de chanter des sûtras dans la salle du Bouddha par une froide matinée. L'un n'est pas meilleur que l'autre, chacun peut être très ennuyeux, et ils ont tous deux la qualité vertueuse de répétition. Répétition et rituel et leurs bons résultats viennent sous de multiples formes. Changer le filtre, moucher les nez, assister à des réunions, désherber autour de la maison, laver la vaisselle, vérifier le niveau d'huile – ne pensez pas que ce soient des choses qui vous distraient de vos recherches plus sérieuses. Ces corvées domestiques ne sont pas une série de difficultés auxquelles nous souhaitons échapper pour pourvoir faire notre 'pratique', qui nous mettrait sur une 'voie' – c'est notre voie.

CLAUDE WHITMYER, *Mindfulness and Meaningful Work*

PENSER QUE, parce que vous êtes malade, vous devez attendre d'être guéri pour pratiquer, trahit un manque d'esprit de recherche de la voie. Notre corps est fait d'une combinaison des quatre éléments [pour les bouddhistes, il n'y a que quatre éléments, parce que, à la différence des hindouistes, ils ne comptent pas l'éther, *akasha*, parmi les éléments, ndt] ; qui ainsi peut échapper à la maladie ? Les hommes de l'ancien temps n'avaient pas des os en métal. Si seulement vous avez de la détermination, vous pouvez pratiquer, oubliant toutes les autres choses. Quand le corps est confronté à quelque chose de vital, il oublie le plus souvent ce qui est trivial et mesquin. Parce que le Zen est la chose vitale, prenez la détermination de l'étudier toute votre vie, et déterminez de ne pas passer vos jours vainement.

REIHO MASUNAGA, *A Primer of Soto Zen*

DÉTACHÉ ! Détaché ! Il faut que tous vous fassiez l'expérience de cet état ; c'est comme entasser des fruits dans un panier sans fond, c'est comme verser de l'eau dans un bol percé.

DOGEN in *Zen Doctrines of No Mind*, D. T. Suzuki

APPRENDRE la voie du Bouddha, c'est apprendre sur soi-même. Apprendre sur soi-même, c'est s'oublier soi-même. S'oublier soi-même, c'est être illuminé par toutes choses dans le monde. Être illuminé par toutes choses, c'est laisser tomber son propre corps-mental, et le corps-mental des 'autres'.

DOGEN in *Ch'an and Zen Teaching, Série 1*, Lu K'uan Yu

SI QUELQU'UN vous interroge sur le sens de l'existence, répondez-lui du point de vue de la non-existence. S'il vous interroge sur ce qui est mondain, parlez de ce qui est saint. S'il vous interroge sur ce qui est sain, parlez de ce qui est mondain. De la sorte, l'interdépendance et l'implication mutuelle des deux extrêmes mettront en lumière la portée de la Voie.

HUI NENG in *Zen Doctrines of No Mind*, D. T. Suzuki

NOS COMPÉTENCES et nos œuvres ne sont que de minuscules reflets du monde sauvage dont l'ordre est naturel et libre. Il n'y a rien de tel que de s'écarter de la route et de se diriger vers une nouvelle partie de la ligne de partage des eaux. Pas pour l'amour de la nouveauté, mais pour le sentiment d'être chez soi partout. 'Hors de la piste' est un autre nom pour la Voie, et sortir de la piste, c'est la pratique de l'état sauvage. C'est aussi là que – paradoxalement – nous faisons notre meilleur travail. Mais nous avons besoin de chemins et de routes et nous les garderons toujours. Vous devez d'abord être sur la voie avant de pouvoir vous en éloigner et marcher dans la nature sauvage.

CLAUDE WHITMYER, *Mindfulness and Meaningful Work*

METTEZ SIMPLEMENT vos pensées au repos et ne cherchez plus à l'extérieur. Quand les choses arrivent, prêtez-leur votre attention ; ayez juste confiance en ce qui est fonctionnel en vous à présent, et rien ne doit vous intéresser.

SOKEI-AN SASAKI in *Zen Notes*

NE SOYEZ PAS adversaire du monde des sens. Quand vous n'avez pas d'hostilité envers lui, il devient le même que l'éveil complet.

SENG-TS'AN in *The Gospel According to Zen*, Robert Sohl

J'EN AI TROUVÉ des fautes, à ce pauvre ego ! Comme s'il devait être méprisé et annihilé sur-le-champ. Comme s'il n'était pas une partie indispensable de mon processus vital, cette nature narcissique et brutale, pour croître, survivre, que je partage avec les canetons et les chiens. Le Zen ne m'enjoint pas de détruire l'ego, mais de voir dans l'ego, dans sa réalité relative... Jusqu'à ce que, à la fin, vous voyiez qu'il ne s'agit pas de rejeter l'ego, mais de connaître sa place, jusqu'à ce qu'il soit 'étendu pour tout embrasser', comme le dit Suzuki ; jusqu'à ce que l'ego et la non-égoïté vivent en paix ensemble.

FREDERICK FRANCK, *The Zen of Seeing*

Il est difficile de se lever à 6 heures du matin pour faire zazen quand on a été réveillé quatre fois dans la nuit, et il m'est presque impossible de recourir à la volonté à 10 h 30 du soir quand je m'écroule sur mon lit. Alors, quel genre de pratique ai-je ? Il serait très facile d'abandonner si je n'avais le sentiment que ma pratique est une affaire de vie ou de mort. Sans elle, je suis balayée par les événements, gardant plus ou moins mon nez au-dessus de l'eau, m'écorchant à des rochers invisibles. Avec elle, je deviens de plus en plus capable (à petits pas) de vivre l'instant avec une âme nue. Les aperçus que j'obtiens pendant le zazen me font savoir qu'il est possible de voir à travers le chaos. L'exemple de mon maître me rappelle que ça vaut vraiment la peine de le faire. Et les fautes que je fais avec mes enfants, accompagnées du besoin qu'a le monde, de gens compatissants et centrés, avec une vision claire, me rappellent que je dois continuer. Aussi, je n'abandonne pas, je fais ce que je peux. Pendant certaines périodes, je m'assois chaque jour pendant 25 minutes ; à d'autres moments, je m'assois une fois par semaine. Parfois, je sens que ma conscience s'approfondit, parfois, j'ai l'impression de reculer.

ANNE BANCROFT, *Spiritual Journey*

Un jeune homme en proie à l'illusion vint voir l'abbé d'un monastère zen, lui demandant s'il y avait une façon courte de s'éveiller, car il ne pensait pas qu'il pourrait méditer longtemps et qu'il reviendrait facilement dans le monde. 'Pouvez-vous garder longtemps votre attention sur quelque chose ? demanda l'abbé ; sur quoi vous êtes-vous concentré le plus dans votre vie ?' 'Rien de spécial. Je suis riche et je ne suis pas obligé de travailler. Ce qui m'intéresse le plus, c'est le jeu d'échecs.' L'abbé fit apporter un échiquier et demanda à son assistant d'être l'adversaire du jeune homme. Puis il demanda une épée. À son assistant, il dit :

'Vous avez fait vœu d'obéissance envers moi, et maintenant j'ai besoin de vous. Vous ferez une partie avec ce jeune homme, et si vous la perdez, je vous couperai la tête. Si vous gagnez, je couperai la tête de cet homme. Si les échecs sont la seule chose dont il se soit jamais soucié en cette vie, il mérite de perdre la tête.'

Le jeu commença. Le jeune homme sentait la sueur l'inonder car il jouait pour sa vie. Le jeu d'échecs devint le monde entier ; il était entièrement concentré dessus. À un moment du jeu, il saisit sa chance de lancer une forte attaque. Il était sur le point de gagner. Puis il regarda l'assistant qui jouait contre lui. Il vit ce visage intelligent et sincère, usé par des années d'austérité et d'effort. Il pensa à sa vie dépourvue de valeur, et une vague de compassion l'inonda. Il fit délibérément une faute, puis une autre, se laissant sans défense.

Soudain, l'abbé renversa l'échiquier, ce qui stupéfia les deux

adversaires. 'Il n'y a ni gagnant ni perdant', dit l'abbé, 'et aucune tête ne tombera.' Il se tourna vers le jeune homme. 'Deux choses seulement sont nécessaires – concentration complète, et compassion. Aujourd'hui, vous avez appris les deux. Même complètement concentré sur le jeu, vous pouviez éprouver de la compassion, et sacrifier votre vie pour elle. Restez ici, et poursuivez votre entraînement dans cet esprit, et votre éveil est certain.'

ROBERT SOHL, *The Gospel According to Zen,*

LES DISCIPLES du Zen croient en la possibilité d'obtenir une pleine illumination, ici et maintenant, grâce à des efforts déterminés pour s'élever au-dessus de la pensée conceptuelle, et de saisir cette connaissance intuitive qui est le fait central de l'illumination. En outre, ils font valoir que l'expérience est à la fois soudaine et complète. Des efforts peuvent être faits pendant des années, la récompense se manifeste en un éclair. Mais pour parvenir à cette récompense, la pratique de la vertu, la culture de la non-passion ne sont pas suffisantes. Il est nécessaire de s'élever au-dessus des concepts relatifs que sont le bien et le mal, le cherché et le trouvé, l'illuminé et non-illuminé, et tout le reste.

JOHN BLOFELD, *The Zen Teaching of Huang Po*

UN HOMME lui demanda un jour ce qu'il avait en lui ; il semblait très calme et satisfait. Il retourna la question à son interrogateur ; il semblait très mal à l'aise et dégoûté. Quelqu'un qui n'a rien en lui est toujours heureux, mais quelqu'un qui a de nombreux désirs ne sort jamais de son malheur.

Il marcha sur la lame d'une épée ; il marcha sur la glace
d'une rivière gelée ;
Il entra dans la maison vide ;
Son désir de voler cessa à jamais.
Il revint à sa propre maison ;
Il vit les beaux rayons du soleil du matin,
Et regarda la lune et les étoiles intimement.
Il marcha dans les rues avec aise,
Jouissant de la brise douce.
Enfin il ouvrit son trésor.
Jusqu'à ce moment il n'avait jamais soupçonné
Qu'il possédait ces richesses depuis toujours.

GENRO in The *Iron Flute*, N. Senzaki

QUAND L'ÉVEIL frappe à la racine première de l'existence, sa réalisation marque généralement un tournant décisif dans la vie. La réalisation, cependant, doit être approfondie et nette ; un éveil tiède, si l'on peut parler de pareille chose, est pire qu'un non-éveil. Voici un exemple :

Quand Tokusan comprit la vérité du Zen, il prit ses commentaires sur le Sûtra du Diamant, qui lui étaient si précieux et indispensables qu'il les portait toujours sur lui, et les jeta au feu. Il s'exclama : 'Quelque profonde que soit la connaissance que l'on a de la philosophie, elle est comme un cheveu volant dans l'immensité de l'espace ; quelque importante que soit son expérience des choses mondaines, elle ressemble à une goutte d'eau tombant dans un abîme insondable.'

D. T. SUZUKI, *Zen Doctrines of No Mind*

MONTAGNES ET RIVIÈRES

AVANT D'ENTREPRENDRE mes trente années d'étude du Zen, je voyais les montagnes comme des montagnes, et les rivières comme des rivières. Quand je fus arrivé à une connaissance plus intime, je parvins à voir que les montagnes ne sont pas des montagnes, et que les rivières ne sont pas des rivières, mais maintenant, j'en suis revenu à mon point de départ. Car je vois à nouveau les montagnes comme des montagnes, et les rivières comme des rivières.

CH'ING-YUAN in *Zen Doctrines of No Mind,* D. T. Suzuki

SHUN DEMANDA à Ch'eng : 'Peut-on réaliser la Voie en sorte qu'elle soit à soi ?

– Votre propre corps, répondit Ch'eng, n'est pas vôtre. Comment la Voie pourrait-elle l'être ?

– Si mon corps, dit Shun, n'est pas mien, à qui est-il ?

– C'est l'image de la Voie, répondit Ch'eng. Votre vie n'est pas à vous. C'est l'harmonie représentant la Voie. Votre individualité n'est pas vôtre. C'est l'adaptabilité de la Voie... Votre mouvement, vous ne savez pas comment – vous êtes au repos, mais vous ne savez pas pourquoi... Ce sont les opérations des lois de la Voie. Comment prendriez-vous la voie pour en faire votre possession ? '

LU K'UAN YU, *Ch'an and Zen Teaching, Série 2*

AVANT DE PRATIQUER la méditation, nous voyons que les montagnes sont des montagnes [comme objets]. Quand nous commençons à pratiquer, nous ne voyons plus les montagnes comme des montagnes... Quand nous allons plus profond, nous voyons que c'est comme une ruche se mouvant à grande vitesse. On pense d'habitude que les formes sont réelles et stables, mais, selon le Bouddha et la science moderne, la forme n'est faite que d'espace vide. Il est composé d'innombrables particules atomiques et subatomiques, toutes assemblées par des forces électromagnétiques et nucléaires... Les physiciens disent que lorsqu'ils entrent dans le monde des particules atomiques, ils peuvent voir clairement que notre monde conceptualisé est une illusion... Après avoir pratiqué un certain temps, nous voyons à nouveau les montagnes comme des montagnes... À la troisième étape, les montagnes se révèlent librement, et nous appelons cela 'existence véritable'. C'est au-delà de l'être et du non-être. Les montagnes sont là dans leur présence merveilleuse, non comme une illusion. La notion de vacuité dans le Zen est très profonde. Elle va au-delà du monde illusoire de l'être et du non-être, du oui et du non. on appelle cela 'vacuité véritable'. La vraie vacuité n'est pas vacuité. La vacuité véritable est existence véritable.

THICH NHAT HANH, *The Heart of Understanding*

'SOUS LA DYNASTIE des T'ang, un maître faisait zazen dans un arbre. On l'appelait le Roshi du Nid d'Oiseau. Le gouverneur de la province, Po Chu-i, qui était aussi un poète zen, vint le voir. Il lui dit :

'Vous semblez dans une position peu sûre, Roshi du Nid d'Oiseau. Mais peut-être pouvez-vous me dire ce que tous les bouddhas ont enseigné ?'

Nid d'Oiseau répondit :

> 'Faites toujours le bien.
> Ne faites jamais le mal.
> Cultivez votre esprit.
> Tous les bouddhas ont enseigné cela.'

Po Chu-i dit : Faites toujours le bien, ne faites jamais le mal ; et cultivez votre esprit – je savais cela quand j'avais trois ans.'

'Oh ! Oui, dit le Roshi du Nid d'Oiseau, un enfant de trois ans peut savoir cela ; mais même un homme de quatre-vingts ans ne peut le mettre en pratique.'

ANNE BANCROFT, *Spiritual Journey*

> LA MER s'obscurcit ;
> Les voix des canards sauvages
> Sont blanches estompées.

TOYO EICHO in *The Way of Zen*, Alan Watts

QUAND L'ILLUMINATION viendra, ce sera en un éclair. Il ne peut y avoir d'illumination graduelle, partielle. On peut dire peut-être que l'adepte très exercé, et zélé, s'est préparé pour l'illumination, mais il ne peut être aucunement considéré comme illuminé – de même, une goutte d'eau devient de plus en plus chaude, mais, tant qu'elle n'a pas été portée à ébullition, aucun changement qualitatif n'est arrivé. Mais nous pouvons passer par trois étapes – deux de non-illumination, une d'illumination. Pour la grande majorité des gens, la lune est la lune, et les arbres sont des arbres. L'étape suivante (pas véritablement supérieure) consiste à percevoir que la lune et les arbres ne sont pas du tout ce qu'ils semblent être, car 'tout est dans l'Esprit'. Quand cette étape est franchie, nous avons le concept d'une vaste uniformité dans laquelle toutes les distinctions sont vides ; et, pour certains adeptes, ce concept peut être aussi une perception effective, aussi 'réelle' pour eux que l'étaient la lune et les arbres auparavant. Il est dit que, lorsque l'illumination vient vraiment, la lune est à nouveau vraiment la lune, et les arbres exactement des arbres ; mais avec une 'différence', car l'homme illuminé est capable de percevoir l'unité et la multiplicité sans la moindre contradiction entre elles !

JOHN BLOFELD, *The Zen Teaching of Huang Po*

ON A BEAU nous dire que la vérité du Zen est évidente, qu'elle se tient devant nos yeux à tout moment de la journée – cela ne nous mène pas très loin. Il semble ne rien y avoir, quand on s'habille, que l'on se lave les mains et que l'on prend ses repas, qui indique la présence de l'illumination. Mais quand un moine demanda à Maître Nan-ch'ua : «Quelle est la Voie ?», il répondit : «La vie ordinaire est la Voie». Le moine demanda encore : «Comment pouvons-nous nous mettre en accord avec elle ?» Nan-ch'an répondit : « Si vous essayez de vous mettre en accord avec elle, vous vous en éloignerez.» Car la vie, même sous la forme d'une série monotone d'événements quotidiens, est quelque chose d'essentiellement insaisissable et indéfinissable ; elle ne reste pas la même un seul moment ; nous ne pouvons jamais l'immobiliser pour pouvoir l'analyser et la définir... Aussi un Maître Zen, quand on lui demanda : « Qu'est-ce que la Voie ? », répondit immédiatement : « Marchez ! », car nous ne pouvons comprendre la voie qu'en suivant son rythme, et en acceptant ses transformations magiques et ses changements sans fin. Par cette acceptation, le disciple du Zen est rempli d'un grand sentiment d'émerveillement, car tout devient perpétuellement nouveau. Le commencement de l'univers est maintenant, car toutes choses sont créées en ce moment, et la fin de l'univers est maintenant, car toutes choses en ce moment disparaissent.

ALAN WATTS in *The Luminous Vision*, Anne Bancroft

Un poète confucéen vint voir un jour le maître Zen Hui-t'ang pour lui demander le secret de son enseignement. Le maître cita Confucius : «Croyez-vous que je vous cache des choses ? Je n'ai vraiment rien à vous cacher». Comme Hui-t'ang rejetait toute autre question, le poète s'en alla, très perplexe. Mais peu de temps après, ils allèrent tous deux faire une promenade dans les montagnes. Comme ils passaient devant une terrasse couverte de laurier sauvage, le maître se tourna vers le poète et demanda : «Sentez-vous cela ?» «Oui», répondit le poète. «Vous voyez, dit le maître, je n'ai rien à vous cacher». Alors le poète, immédiatement, reçut l'illumination.

ANNE BANCROFT, *Spiritual Journey*

Po-chang avait tant de disciples qu'il dut ouvrir un autre monastère. Pour trouver le maître idoine, il réunit ses moines et posa devant eux une cruche, disant :

«Sans l'appeler cruche, dites-moi ce que c'est.»

Le chef des moines dit : «Vous pouvez l'appeler un morceau de bois.»

Alors le cuisinier du monastère donna un coup de pied dans la cruche et partit. C'est le cuisinier qui fut chargé du nouveau monastère.

D. T. SUZUKI, *Studies in Zen*

JE FAISAIS une promenade. Soudain, je m'immobilisai, réalisant que je n'avais pas de corps ni de mental. Tout ce que je pouvais voir, c'était un grand Tout illuminant – omniprésent, parfait, clair et serein. C'était comme un miroir embrassant tout, d'où étaient projetées les montagnes et les rivières de la terre... Je me sentis aussi clair et transparent que si mon corps et mon esprit n'existaient pas du tout.

HAN SHAN in *Spiritual Journey*, Anne Bancroft

TERRE, montagnes, rivières – cachées dans le vide.
Dans ce vide – terre, montagnes, rivières révélées.
Fleurs printanières, hiver.
Il n'y a ni être ni non-être, ni négation de soi-même.

SAISHO in *One Robe, One Bowl*, John Stevens

UNE SPIRITUALITÉ d'émerveillement est une voie où nous disons souvent «Ah !». Un Maître Zen dit une fois : «Avez-vous remarqué combien les cailloux de la route sont polis et brillants après la pluie ? Et les fleurs ? Aucun mot ne peut les décrire. On peut seulement murmurer un 'Ah !' d'admiration. Nous devons comprendre le 'Ah !' des choses».

ANNE BANCROFT, *Spiritual Journey*

Un jour, quand Nan-ch'uan vivait dans une petite hutte, dans les montagnes, un moine étrange lui rendit visite alors qu'il se préparait à aller travailler dans les champs. Nan-ch'uan lui souhaita la bienvenue, lui disant : «Je vous en prie, faites comme chez vous. Préparez ce que vous voulez pour votre déjeuner, et apportez-moi quelques restes sur le chemin qui mène à mon lieu de travail.» Nan-ch'uan travailla tard jusqu'au soir, et rentra chez lui très affamé. Le visiteur s'était fait un bon repas qu'il avait mangé seul, puis avait jeté la nourriture et brisé tous les récipients. Nan-ch'uan trouva le moine en train de dormir paisiblement dans la hutte dévastée, mais quand il allongea son corps fatigué à côté du sien, l'inconnu se leva et partit. Plusieurs années après, Nan-ch'uan raconta l'histoire à ses disciples avec ce commentaire : «C'était un si bon moine ; je le regrette encore maintenant.» Le Zen prend la nourriture à un homme affamé, et l'épée à un soldat. Ce à quoi on s'attache le plus est la cause véritable de la souffrance. Le moine étrange ne voulait donner à Nan-ch'uan qu'une liberté véritable. Plus tard, quand Nan-ch'uan dit à ses disciples qu'il regrettait le vieux voleur, il devait avoir une gratitude éternelle envers ce maître inconnu qui lui avait permis de jouir de sa liberté véritable.

GENRO in *The Iron Flute*, Nyogen Senzaki

LES MONTAGNES ne manquent pas des qualités de montagnes. Aussi, elles sont toujours dans le bien-être, et marchent toujours. Vous devez examiner en détail cette qualité de la marche des montagnes.

La marche des montagnes est juste comme la marche humaine. Aussi, ne doutez pas de la marche des montagnes, même si elle ne ressemble pas à la marche humaine.

Si vous doutez de la marche des montagnes, vous ne connaissez pas votre propre marche ; ce n'est pas que vous ne marchiez pas, mais vous ne connaissez pas ou ne comprenez pas votre propre marche.

DOGEN *in Impermanence Is Buddha-Nature,* Joan Stambaugh

LE BUT UNIQUE du véritable disciple du Zen, c'est d'exercer son esprit en sorte que tous les processus noétiques fondés sur le dualisme, inséparables de la vie «ordinaire», soient transcendés, leur place étant prise par la connaissance intuitive qui, pour la première fois, révèle à un homme ce qu'il est réellement. Si tout est un, la connaissance de sa propre nature vraie – son soi originel – est également la connaissance de toute-nature, la nature de toutes choses dans l'univers. Ceux qui ont réellement fait cette formidable expérience, qu'ils soient chrétiens, bouddhistes, ou autres, s'accordent sur l'impossibilité de la communiquer en paroles. Ils peuvent employer des mots pour montrer la voie aux autres, mais, jusqu'à ce que ceux-ci aient réalisé l'expérience par eux-mêmes, ils ne peuvent avoir la moindre lueur de vérité – un malheureux concept intellectuel de quelque chose qui se trouve au-delà du point le plus élevé atteint par l'intellect humain.

JOHN BLOFELD, *The Zen Teaching of Huang Po*

SILENCIEUSEMENT et sereinement, on oublie tous les mots,
Clairement et nettement, cela apparaît devant vous.
Quand on réalise cela, le temps n'a pas de limites.
Quand cela est expérimenté, votre environnement naît à la vie.
Singulièrement illuminante est cette conscience éclatante,
Pleine de merveilles est la pure illumination.
L'apparition de la lune, d'un fleuve d'étoiles.

Pins vêtus de neige, nuages planant au-dessus des pics montagneux.
Dans l'obscurité, ils brillent.
Dans les ténèbres, ils brillent d'une lumière splendide.
Comme le rêve d'une grue volant dans un espace vide,
Comme l'eau claire, calme, d'un étang en automne,
Des cycles sans fin se dissolvent dans le néant,
Aucun ne se distinguant des autres.

HUNG CHIH in *Buddhism and Zen*, Nyogen Senzaki

APRÈS ÊTRE entrés dans le monde des particules élémentaires, les scientifiques ne peuvent rien trouver d'essentiel dans le monde de la matière. Les méditants réalisent aussi que tous les phénomènes s'interpénètrent et interagissent avec tous les autres phénomènes, si bien que dans leur vie quotidienne, ils considèrent une chaise ou une orange d'une façon très différente de la plupart des gens. Quand ils voient des montages et des rivières, ils voient que les 'rivières ne sont plus des rivières, et les montagnes ne sont plus des montagnes'... Cependant, quand ils veulent se baigner, ils doivent aller à la rivière. Quand ils reviennent à la vie quotidienne, ' les montagnes sont à nouveau des montagnes, et les rivières à nouveau des rivières '.

THICH NHAT HANH, *The Diamond that Cuts through Illusion*

LES MONTAGNES bleues et les bois verts
Sont le clair visage de notre maître éminent.
Comprenez-vous ce visage ?

SEUNG SAHN, *Os de l'Espace*

RIEN n'est caché ;
Depuis toujours, tout est clair comme la lumière du jour.

Le vieux pin dit la sagesse divine ;
L'oiseau secret manifeste la vérité éternelle.

Il n'y a pas de place pour chercher le mental ;
C'est comme les empreintes des oiseaux dans le ciel.

Les oies sauvages n'ont pas l'intention de se refléter ;
L'eau n'a pas l'intention de recevoir leur image.
Prenez de l'eau dans vos mains, et la lune y est ;
Tenez les fleurs, et vos vêtements en sont parfumés.
Montagnes et rivières, la terre entière -
Toutes manifestent l'essence de l'être.

Les collines bleues sont d'elles-mêmes collines bleues ;
Les nuages blancs sont d'eux-mêmes nuages blancs.
Dans le paysage de printemps, il n'y a ni haut ni bas ;
Les branches fleuries poussent naturellement, certaines
longues, d'autres courtes.
Nous dormons les jambes allongées,
Libérés du vrai, libérés du faux.

Pendant de longues années, un oiseau est en cage,
Aujourd'hui, il vole avec les nuages.

Poème de THE ZENRIN in *The Gospel According to Zen*,
Robert Sohl

NOTRE NATURE originelle est, dans la vérité ultime, dépourvue du moindre atome d'objectivité. Elle est vide, omniprésente, silencieuse, pure ; elle est joie paisible glorieuse et mystérieuse – et c'est tout. Entrez-y profondément en vous y éveillant vous-même. Ce qui est devant vous est elle, dans toute sa plénitude, complète. Il n'y a rien d'autre. Elle est Être pur, qui est la source de toutes choses et qui, qu'elle apparaisse sous la forme d'êtres sensibles ou de Bouddhas, de rivières et de montagnes du monde formel, comme ce qui est sans forme, ou pénétrant l'univers entier, est absolument sans distinction, n'y ayant aucune entité qui soit moi et les autres.

JOHN BLOFELD, *The Zen Teaching of Huang Po*

LE MAÎTRE COMPATISSANT

LA MEILLEURE façon d'aider le monde, c'est d'adhérer à notre situation, exactement comme elle est. Si nous voulons être complètement ce qui est, notre vision peut se clarifier et nous savons mieux quoi faire. Chaque fois que nous souffrons et que nous laissons la souffrance être, notre vision s'élargit. Laisser être est non-attachement, l'objet de la pratique. C'est comme gravir une montagne. En montant, nous voyons de plus en plus. Et plus nous voyons – plus notre vision est claire – plus nous savons quoi faire, personnellement, et au niveau de l'action sociale.

THICH NHAT HAHN, *The Diamond that Cuts through Illusion*

UN MOINE demanda à son maître : «Qu'est-ce que mon Soi ?»

Le maître répondit : «Il y a quelque chose de profondément caché en vous, et vous devez prendre conscience de son activité cachée.»

Le moine demanda qu'on lui dise ce que cette activité cachée était. Le maître ouvrit et ferma les yeux.

Ce qu'est le Zen, c'est l'ouverture et la fermeture des yeux. Mais cela doit être pesé dans le cœur, car, comme tout ce qui est précieux, on peut le révéler, mais non pas l'exprimer.

FREDERICK FRANCK, *The Zen of Seeing*

POUR L'ÉTUDE du Zen, il y a trois exigences essentielles. La première, c'est une grande racine de foi ; la deuxième, une grande boule de doute ; la troisième est une grande ténacité de dessein. Celui qui ne réunit pas ces trois exigences est comme un tabouret à trois pieds dont l'un est brisé.

MAÎTRE HAKUIN in *Zen : Direct Pointing to Reality*, Anne Bancroft

LE KOAN que je donne ordinairement à mes disciples est : 'Toutes choses retournent à l'Un ; où l'Un retourne-t-il ?' Je leur fais examiner cela. Examiner, c'est éveiller un grand esprit d'investigation du sens ultime du koan. La multiplicité des choses retourne à l'Un, mais où l'Un retourne-t-il ? Je leur dis : Faites cette enquête avec toute la force qui se trouve dans votre personnalité, ne vous accordant aucun repos dans cet effort. Dans quelque position physique que vous soyez, et quel que soit votre emploi, ne passez pas votre temps oisivement. Où retourne finalement l'Un ? Essayez de pousser votre esprit d'examen vers l'avant, régulièrement, de façon ininterrompue. Quand votre esprit de recherche en arrive à cette étape, le temps est venu pour votre fleur spirituelle, de s'épanouir.

KAO-FENG in *Studies in the Lankavatara Sutra*, D. T. Suzuki

MAÎTRE HAKUIN disait :

Mes chers disciples bien-aimés, mourez tant que vous êtes encore en vie. Alors vous pourrez vivre vraiment et vous ne mourrez plus jamais.

Mourir, dans ce sens, ne signifie rien d'autre que devenir idiot. Être idiot signifie faire 'Mu' [*Wu* en chinois, 'non', c'est-à-dire négation de l'affirmation comme de la négation – 'Vacuité', refus de l'être et du non-être, ndt], juste Mu après Mu, sans ajouter vos commentaires, félicitations, analyses, critiques et/ou doutes. Mu ! Mu ! Mu ! Mu ! comme un idiot... C'est ce que Hakuin appelle 'mourir' ! Aussi, n'ayons pas peur de devenir idiots. Nous ne perdons pas notre intelligence ni notre sagesse quand nous devenons idiots en faisant zazen.

EIDO SHIMANO ROSHI, *Vent Doré, la Liberté Zen*

L'ENSEIGNEMENT Zen consiste à saisir l'esprit en transcendant la forme, mais il nous rappelle que le monde dans lequel nous vivons est un monde de formes particulières, et que l'esprit ne s'exprime qu'au moyen de la forme.

D. T. SUZUKI, *Zen Doctrines of No Mind*

ÉTUDIER LE ZEN, c'est comme perforer du bois pour obtenir du feu. La façon la plus habile, c'est de continuer, sans s'arrêter. Si vous faites une pause au premier signe de chaleur, puis dès que le premier filet de fumée s'élève, même si vous perforez pendant des années, vous ne verrez jamais une étincelle de feu. Mon lieu de naissance est près du rivage de la mer, à peine à cent pas de la plage. Supposons qu'un homme de mon village veuille savoir quel goût a l'eau de mer, et qu'il veuille aller la goûter lui-même. S'il fait demi-tour après avoir fait quelques pas, ou même s'il revient après avoir fait cent pas, comment pourra-t-il connaître le goût salé, amer, de l'océan ? Mais, même s'il est un homme qui vient d'aussi loin que les montagnes de Koshu, s'il continue sans s'arrêter, en quelques jours, il atteindra le rivage, et au moment où il trempera le bout de ses doigts dans la mer, et le lèchera, il connaîtra instantanément le goût des eaux des océans lointains et des mers voisines, des plages méridionales et des rivages septentrionaux, en fait de toute l'eau de mer du monde.

DOGEN in *Zen : Direct Pointing to Reality*, Anne Bancroft

LA FAÇON ZEN d'enseigner est de montrer la Réalité plutôt que d'en parler, et elle doit toujours être prise sérieusement, bien qu'elle ne soit jamais solennelle. Pour en saisir l'essence, nous devons triompher de notre tendance à mettre tout en paroles. Les mots sont essentiels ; mais l'obstacle, c'est que lorsque nous nous fondons trop sur les mots, nous commençons à substituer un monde de connaissance indirecte – connaissance au sujet de – à l'impact intense et immédiat de ce qui est réellement là, avant que les pensées et le monde apparaissent. En utilisant les mots corrects pour chaque situation, nous pouvons passer notre vie sans jamais faire l'expérience directe de rien. Les méthodes centrales du Zen visent à aider un disciple à voir que les façons conventionnelles dans lesquelles le monde est conceptualisé, sont utiles à des fins particulières, mais manquent de substance ; quand une percée sera faite dans le monde du concept, le disciple en viendra à faire l'expérience de la Réalité immédiate – la découverte de la merveille ineffable qu'est l'existence même.

ANNE BANCROFT, *Zen : Direct Pointing to Reality*

QUELQU'UN demanda à Fenyang : 'Quelle est la tâche d'un maître qui enseigne ?' Fenyang répondit : 'Guider impersonnellement ceux avec lesquels il a des affinités.'

ANNE BANCROFT, *The Luminous Vision*

TANZAN et Ekido marchaient le long d'une route boueuse. Une pluie abondante tombait sans cesse.

Ils arrivèrent à un croisement, et rencontrèrent une jolie fille en kimono, avec une large ceinture, qui ne pouvait traverser la route.

« Venez donc, mademoiselle », dit Tanzan sans attendre. Et il la souleva, lui faisant franchir le chemin boueux.

Ekido resta muet jusqu'à ce qu'ils arrivent au temple où ils étaient hébergés. Alors, il ne put se contenir. «Nous, moines, nous ne nous approchons pas des femmes, dit-il à Tanzan, surtout des filles jeunes et belles. C'est dangereux. Pouquoi avez-vous fait cela ?»

«J'ai laissé le fille là-bas, dit Tanzan. Êtes-vous encore en train de la porter ?»

PAUL REPS, *Zen Flesh, Zen Bones*

QUAND DES MAÎTRES Zen illuminés établissent un enseignement pour une voie spirituelle, leur seul souci est de clarifier le mental, pour parvenir à sa source. Elle est totale chez chacun, mais les gens se détournent de ce mental fondamental, à cause de leurs illusions.

SOKEI-AN SASAKI in *Zen Notes*

LES PAROLES des bouddhas et des maîtres Zen ne sont que des instruments, des moyens d'avoir accès à la vérité. Une fois que vous êtes éclairé et que vous faites l'expérience de la vérité, tous les enseignements sont en vous.

Alors vous considérez les enseignements verbaux des bouddhas et des maîtres Zen comme quelque chose qui relève du monde des reflets ou des échos, et vous ne les portez pas sur votre tête.

SOKEI-AN SASAKI in *Zen Notes*

LE ZEN ne peut être réalisé par des conférences, des discussions et des débats. Seuls ceux qui ont une grande capacité perceptive peuvent clairement le comprendre. Pour cette raison, les anciens adeptes n'ont pas perdu un seul instant. Même quand ils n'avaient pas recours à des maîtres pour déterminer des vérités spécifiques, ils s'impliquaient dans une pratique Zen véritable, afin de parvenir à une sérénité mûre de façon naturelle. Ils n'étaient pas enveloppés dans les illusions du monde.

SOKEI-AN SASAKI in *Zen Notes*

La vie Zen est un raccourci direct, ne requérant pas l'exercice de la moindre parcelle de force pour réaliser l'illumination et maîtriser le Zen là où vous êtes.

Mais parce que les disciples Zen recherchent avec trop de zèle, ils pensent qu'il doit y avoir un principe spécial, si bien qu'ils essaient de se le décrire mentalement, de façon subjective.

Ainsi, ils sont emmenés par les machinations de la conscience émotive et intellectuelle dans quelque chose qui est créé et qui périra.

Ils s'accrochent à cette loi, à cette règle, à ce principe, créé, périssable, ou à un mode de vie, le considérant comme quelque chose d'ultime. C'est un grave faux pas.

C'est pourquoi il est dit : 'Ne parlez pas de réalité ultime avec votre mental au sujet de ce qui est créé et destructible.'

SOKEI-AN SASAKI in *Zen Notes*

Maître Ganto dit à un frère : « Quoi que disent les grands maîtres du Zen, de quelque façon qu'ils exposent leurs enseignements, à quoi peut bien servir leur savoir et leur compréhension pour une autre personne ? Ce qui jaillit de votre propre cœur – c'est ce qui embrasse le ciel et la terre. »

D. T. SUZUKI, *Essays in Zen Buddhism*

KEN-O et son disciple Menzan mangeaient ensemble un melon. Soudain, le maître demanda : 'Dites-moi, d'où vient cette douceur ?

– Quoi ! – Mezan avala vite et demanda : C'est un produit de cause-et-d'effet.

– Bah ! C'est de la logique froide !

– Bon, dit Menzan, alors, d'où ?

– Ce «où» même – c'est de là.'

L. STRYCK, *Zen : Poems, Prayers, Sermons, Anecdotes, Interviews.*

DANS VOTRE CORPS physique, que pouvez-vous appeler Esprit ou Bouddha ? Maintenant, demandez-vous, avec intensité : 'Qu'est-ce qui peut être nommé ou connu intellectuellement ? Si vous vous demandez profondément : 'Qu'est-ce qui lève les mains, bouge les jambes, parle, entend ?', votre raisonnement arrivera à une halte, chaque avenue étant bloquée, et vous ne saurez pas où vous tourner. Mais continuez sans relâche votre examen de ce sujet. Abandonnez l'intellect et relâchez votre prise sur toutes choses. Quand, de tout votre cœur, vous désirerez la libération pour elle-même, au-delà de tout doute, vous serez illuminé.

MAÎTRE IGUCHI in *The Three Pillars of Zen*, P. Kapleau

RYOKAN, un maître Zen, menait une vie simple dans une petite hutte au pied d'une montagne. Un soir, un voleur vint faire une visite, pour s'apercevoir qu'il n'y avait rien à voler.

Ryokan revint et l'empoigna : 'Vous avez dû faire un long chemin pour me rendre visite, dit-il au prédateur, et vous ne devez pas repartir les mains vides. S'il vous plaît, acceptez mes vêtements comme un présent.' Le voleur fut frappé de stupeur. Il prit les vêtements, et s'enfuit en courant.

Ryokan s'assit, nu, et contempla la lune. 'Pauvre garçon, songea-t-il, j'aurais aimé lui donner cette magnifique lune'.

Le voleur
L'a laissée –
La lune à la fenêtre.

ROBERT SOHL, *The Gospel According to Zen*

IL ÉTAIT UNE FOIS un moine, Hyakujo, qui marchait avec son maître, Baso. Baso vit des oiseaux voler et dit : 'Où sont-ils allés ?' Hyakujo répondit : 'Ils se sont envolés'. Baso saisit le nez de Hyakujo et le tordit bien fort. Hyakujo cria : 'Ouch ! Que faites-vous ?' Baso voulait lui montrer la situation véritable ! Où les oiseaux peuvent-ils être allés ? Y a-t-il un lieu où aller ? Un lieu où se cacher ? Un lieu qui ne soit pas chez soi ?

K. DURCKHEIM, *The Grace of Zen*

KYOGEN vint voir Maître Yisan et lui demanda de lui enseigner l'essence du Zen. Mais Yisan répondit : 'Je n'ai vraiment rien à vous donner. Car quoi que je puisse vous dire, est à moi, et ne peut jamais être à vous.' Déçu, Kyogen décida de brûler toutes ses notes d'études et de se retirer du monde pour passer le reste de sa vie dans la solitude et la simplicité. Il pensa : 'À quoi bon étudier le Zen, qui est si difficile à comprendre et qui est trop subtil pour être enseigné par un autre ? Je serai un moine simple, sans foyer, qu'aucun désir de maîtriser des choses trop profondes pour la pensée ne troublera.' Il partit, et construisit une hutte dans la campagne. Un jour qu'il balayait le sol, un caillou fut projeté, qui frappa un bambou ; le son inattendu amena son esprit à l'état d'éveil. Sa joie était sans borne. Il réalisa soudain la bonté de Yisan, quand il avait refusé de lui donner son enseignement, car il savait que cette expérience n'aurait jamais pu lui arriver si Yisan avait manqué de bonté au point de lui donner des explications.

ROBERT SOHL, *The Gospel According to Zen*

> RÉALISEZ seulement l'essentiel et ne vous souciez jamais de l'insignifiant.
>
> TREVOR LEGGETT, *The Old Zen Master*

UN KOAN est un problème donné par un instructeur à un étudiant pour que celui-ci trouve la solution. L'étudiant doit d'abord le résoudre seul, mais un maître pourra l'aider à l'occasion. Pour travailler sur un koan, vous devez être désireux de le résoudre ; pour résoudre un koan, vous devez être face à lui, sans y penser. Plus vous vous acharnez à le mettre dans la connaissance, plus il sera difficile d'obtenir une solution. Deux mains ensemble produisent un son. Quel est le son d'une main ? C'est un koan. Si vous pensez que ce son n'existe pas, vous êtes dans l'erreur.

Un koan zen n'est que non-sens pour les étrangers, mais pour un disciple du Zen, c'est une porte de l'illumination. La gymnastique intellectuelle, quelque supérieure ou raffinée qu'elle soit, ne pourra jamais résoudre un koan ; en fait, un koan est donné pour forcer un étudiant à aller au-delà de l'intellection. Ne travaillez pas sur plus d'un koan à la fois, et ne discutez d'un koan qu'avec votre maître. Fates seulement face à la question, sans penser à rien d'autre. Sans négliger les devoirs quotidiens, vous devez consacrer chaque moment de loisir à exercer votre mental avec le koan.

NYOGEN SENZAKI, *Buddhism and Zen*

DIRE QUE, une fois que vous êtes satisfait avec ce que vous êtes, vous ne grandirez plus, est une compréhension superficielle. La croissance véritable commence quand vous atteignez la réalité de ce que vous êtes, quand vous pouvez dire : 'C'est absolument cela', même si cela peut être faible et misérable.

TREVOR LEGGETT, *The Old Zen Master*

SANS LIEN et libre dans le ciel de la transcendance,
Brillante est la lune de la sagesse !
Vraiment, y a-t-il quelque chose qui manque maintenant ?
Le Nirvâna est juste ici, devant vos yeux ;
Ce lieu même est la Terre de Lotus,
Ce corps même, le Bouddha.

HAKUIN in *Crazy Clouds*, Perle Besserman

DANS LES PAYS orientaux, il y a eu de nombreux milliers de disciples qui ont pratiqué la méditation Zen et obtenu ses fruits. Ne doutez pas de ses possibilités à cause de la simplicité de ses méthodes. Si vous ne pouvez trouver la vérité en vous-même, où pouvez-vous la trouver ailleurs ?

NYOGEN SENZAKI, *Buddhism and Zen*

À LA COMPAGNIE bien aimée des étoiles, de la lune et du soleil,
à l'océan, à l'air et au silence de l'espace ;
à la jungle, au glacier et au désert,
à la terre douce, à l'air clair et au feu sur mon foyer.
À une certaine cascade dans une haute forêt ;
à la pluie nocturne sur le toit et les grandes feuilles,
à l'herbe dans le vent, au tumulte des moineaux dans le buisson,
et aux yeux qui donnent de la lumière au jour.

LU K'UAN YU, *Ch'an and Zen Teaching, Série 1*

TOUTES CHOSES sont vides, le mental est vide. Quand le mental est vide, tout est. Mon esprit n'est pas divisible : tout est contenu dans chacune de mes pensées, ce qui apparaît comme illumination au sage, illusion au stupide. Mais l'illumination et l'illusion sont un. Débarrassez-vous des deux, mais ne restez pas dans 'l'entre-deux'. De cette façon, vous serez la vacuité même, qui, sans tache et dépourvue de l'interrelation des choses, transcende la réalisation. De la sorte, vous serez la vacuité même, qui, sans tache et dépourvue de l'interrelation des choses, transcende la réalisation. Ainsi, le prêtre Zen s'appuie sur lui-même.

L. STRYCK, *Zen : Poems, Prayers, Sermons, Anecdotes, Interviews.*

C'EST UN PARADOXE : quand il n'y a pas de demeure fixée, de foyer fixé, tout lieu est foyer. Il en va de même de notre mental. Si le seul endroit où nous nous sentons chez nous est dans nos préjugés et nos opinions et idées, alors nos esprits sont fixés, collés. Alors nous n'avons de l'amitié que pour les gens qui sont d'accord avec notre philosophie.

K. DURCKHEIM, *The Grace of Zen*

UN JOUR, Banzan traversait un marché. Il entendit un chaland dire au boucher : 'Donnez-moi le meilleur morceau de viande que vous avez'. 'Tout ce qui est dans ma boutique est le meilleur, répondit le boucher. Vous ne pouvez pas trouver de morceau de viande qui ne soit le meilleur.' À ces mots, Banzan fut illuminé. Le commentaire : C'est l'essence de l'enseignement Zen. La rose est la meilleure en tant que rose. Le lis est le meilleur en tant que lis. Chaque personne est la meilleure du monde. La seule obligation que l'on ait, c'est de faire de son mieux.

G. KUBOSE, *Zen Koans*

L'EMPEREUR : Gudo, qu'est-ce qu'il arrive à l'homme illuminé et à l'homme illusionné après la mort ?

Gudo : Comment puis-je le savoir, majesté ?

L'Empereur : Quoi, mais vous êtes un maître !

Gudo : Oui, majesté, mais pas un mort !

L. STRYCK, *Zen : Poems, Prayers, Sermons, Anecdotes, Interviews.*

LES LAPINS et les chevaux ont des cornes :
Les vaches et les moutons n'en ont pas.

Cette affirmation ne vise pas à décrire la réalité ultime du Zen, mais à en précipiter l'éveil. La personne ordinaire, liée qu'elle est par la camisole de force de la logique, vit dans un monde de demi-vérités : elle voit qu'un lapin n'est pas une vache mais ne voit pas que, à cause de l'interpénétration mutuelle avec toutes choses, il est aussi une vache. Ainsi, une affirmation démente comme celle-ci, est un instrument qu'un maître emploie pour secouer ses disciples, et les plonger dans une expérience Zen immédiate. Dans l'esprit du disciple, la demi-vérité illogique est combinée avec la demi-vérité mondaine, qu'il tient pour acquise, et une intuition de la vérité intégrale du Zen en est le résultat.

GREGORY NOYES, *Middle Way, Printemps 1979*

UN JOUR, un moine vint voir un maître et lui demanda : « Cela fait longtemps que je suis votre direction, et si je suis venu à vous, c'était expressément pour étudier le Zen. Mais jusqu'à présent, vous ne m'avez dispensé aucun enseignement zen. Si cela continue, je devrai vous quitter, à mon grand regret. » Le maître répondit : «Le matin, quand vous venez me dire 'bonjour', je vous rends votre salut : 'Bonjour ! Comment allez-vous ?' Quand vous m'apportez une tasse de thé, je la bois avec reconnaissance. Quand vous faites pour moi n'importe quelle autre chose, je vous en sais gré. Quels autres enseignements voulez-vous que je vous donne ?» Il n'y a pas d'enseignement particulier – les choses les plus ordinaires de notre vie quotidienne cachent un sens profond qui est encore plus clair et explicite ; seuls nos yeux ont besoin de savoir où il y a une signification. Tant que cet œil n'est pas ouvert, il n'y aura rien à apprendre du Zen.

D. T. SUZUKI, *Middle Way, Mai 1976*

On demanda à Huang Po : 'D'après ce que vous venez de dire, l'Esprit est le Bouddha ; mais on ne voit pas clairement quel genre d'esprit est signifié par ce «Esprit qui est le Bouddha».'
'Combien d'esprits avez-vous ?'

'Mais le Bouddha est-il l'esprit ordinaire ou l'Esprit illuminé ?'

'Où sur terre gardez-vous votre «esprit ordinaire» et votre «Esprit illuminé» ?'

'Dans l'enseignement, il est déclaré qu'il y a les deux. Pourquoi Votre Révérence le nie-t-il ?'

'Dans l'enseignement, il est clairement expliqué que l'esprit ordinaire et l'Esprit illuminé sont des illusions. Vous ne comprenez pas. Tout cet attachement à l'idée de l'existence des choses revient à prendre la vacuité pour la vérité. Comment de telles conceptions ne peuvent-elles pas être illusoires ? Étant illusoires, elles vous cachent l'Esprit. Si seulement vous vous débarrassiez des concepts d'ordinaire et d'Illuminé, vous vous apercevriez qu'il n'y a pas d'autre Bouddha que le Bouddha dans votre Esprit.'

JOHN BLOFELD, *The Zen Teaching of Huang Po*

SI VOUS VOULEZ réaliser votre propre Esprit, vous devez d'abord tous considérer la source d'où proviennent les pensées. Dormant et travaillant, debout et assis, demandez-vous profondément : 'Qu'est-ce que mon propre Mental ?', avec un intense désir de résoudre cette question. On appelle cela 'exercice' ou 'pratique' ou 'désir de la vérité' ou 'soif de réalisation'. Ce qu'on appelle zazen n'est autre chose que de regarder dans son propre esprit. Il est préférable de chercher son propre esprit avec assiduité, plutôt que de lire et réciter d'innombrables sûtras chaque jour.

MAÎTRE BASSUI in *The Three Pillars of Zen*, P. Kapleau

BEAUCOUP de gens disent que la Voie des bouddhas est quelque chose qui peut être atteint par diverses pratiques pieuses et par l'étude, mais ces idées n'offrent pas d'intérêt. Une perception, aussi soudaine qu'un clignement d'yeux, de l'unité du sujet et de l'objet, conduira à une compréhension mystérieuse ineffable ; et par cette compréhension, vous vous éveillerez à la vérité du Zen. Vous pouvez clairement comprendre que cette Voie est le Vide qui ne dépend de rien, et n'est attaché à rien. Il est omniprésent, beauté sans tache ; il est l'Absolu, qui existe par soi-même, incréé.

JOHN BLOFELD, *The Zen Teaching of Huang Po*

LE ZEN EN OCCIDENT

ON DEMANDA récemment à un maître Zen japonais de faire un commentaire sur la transmission du Zen à une nouvelle culture, comme dans la transmission actuelle à l'Occident. Il leva un sourcil et dit : 'Les cent premières années sont les plus dures'.

KENNETH KRAFT, *Zen Tradition and Transition*

JE NE VOUS dis pas de tout mettre ; je vous demande d'enlever – d'ôter la poussière de votre mental.

M. FARKAS, *The Zen Eye*

NOUS, MODERNES, sommes des gens très analytiques. Mais quelle que soit la manière dont nous analysons «qu'est Ceci ?», il n'y a pas de réponse. C'est cela ! Les peuples orientaux sont exercés à accepter leur karma, au lieu de s'efforcer de le supprimer. En acceptant ouvertement ce que nous sommes, la porte s'ouvre plus. Mais c'est très délicat...

Maintenant, vous comprenez ce que je veux transmettre. On ne change pas facilement les habits que l'on porte depuis de nombreuses années. Le bouddhisme zen nous enseigne à résister à ceci en tant que ceci.

EIDO SHIMANO ROSHI, *Zen Rinzaï, Point de Départ*

QUAND NOUS lisons Maître Eckhart, nous savons immédiatement qu'il dit la vérité. Ce qu'il disait ne venait pas de son accumulation de connaissances, mais de ce qu'on appelle son 'expérience mystique'. Je suis tout à fait sûr que c'était quelqu'un de profondément illuminé.

Mais même Maître Eckhart ne disait rien au sujet du corps. Rien sur la manière de s'asseoir, au sujet de la posture, de la façon de respirer, de se concentrer.

C'est là que le bouddhisme zen est très différent de maître Eckhart, bien que le 'Rinzai Roku' [Les Propos et les Faits de Maître Rinzai] ne disent pas non plus comment faire zazen. Mais il est fait de temps en temps mention du corps, et nous considérons le corps et l'esprit comme inséparables et également indispensables.

EIDO SHIMANO ROSHI, *Zen Rinzaï, Point de Départ*

SI ÉLEVÉES et poétiques que vos paroles soient, tant qu'elles
ne sont pas l'expression de votre propre créativité,
vous êtes hors jeu.

EIDO SHIMANO ROSHI, *Vent Doré, la Liberté Zen*

LA RAISON réelle pour laquelle la vie humaine peut être si exaspérante et frustrante, ce n'est pas ces trois faits, que l'on appelle mort, douleur, peur – ou faim. La folie de la chose est que, lorsque ces faits sont présents, nous décrivons des cercles, bourdonnons, tourbillonnons, essayant de saisir le 'je' de l'expérience... Tant que demeure l'idée que je suis séparé de mon expérience, il règne une grande confusion. A cause de cela, il n'y a ni conscience ni compréhension de l'expérience, et, ainsi, aucune possibilité réelle de l'assimiler. Pour comprendre ce moment, je ne dois pas essayer de m'en séparer ; je dois en être conscient de tout mon être. Cela, comme m'empêcher de retenir mon souffle pendant dix minutes, n'est pas quelque chose que je doive faire. En réalité, c'est la seule chose que je puisse faire. Tout le reste n'est que folie de tenter l'impossible.

ALAN WATTS, *Behold the Spirit*

'CECI EST UN ARBRE.' Il est évident que ceci et arbre ne sont pas en réalité la même chose. Arbre est un mot, un bruit. Ce n'est pas cette réalité expérimentée que je désigne. Pour être précis, je devrais dire : 'Ceci (désignant l'arbre) est symbolisé par le son arbre.'

Si donc l'arbre véritable n'est pas le mot ou l'idée *arbre*, qu'est-il ? Si je dis que c'est une impression de mes sens, une structure végétale, ou un ensemble d'électrons, je ne fais que poser des séries de mots à la place du bruit original, *arbre*. Je n'ai pas dit du tout *ce que* c'est. J'ai aussi fait apparaître d'autres questions : 'Qu'est-ce que mes sens ?' 'Qu'est-ce qu'une structure ?' 'Qu'est-ce que des électrons ?' ... Nous ne pouvons jamais dire *ce que* sont les choses... Le mot et l'idée *arbre* est en circulation depuis de nombreux siècles, mais les arbres véritables se sont comportés d'une façon très étrange. Je peux essayer de décrire leur comportement en disant qu'ils sont apparus et qu'ils ont disparu, qu'ils ont été dans un état de changement constant, et qu'ils vont et viennent dans leur environnement... Mais ça ne dit pas réellement ce qu'ils ont fait, parce que *disparaître, changer, aller et venir, environnement*, sont encore des sons qui représentent quelque chose de très mystérieux.

ALAN WATTS in *Mystics and Sages*, Anne Bancroft

UN AUTRE EXERCICE qui nous aide à douter, c'est le koan 'Qui suis-je ?' La question est destinée à vous faire mettre à l'épreuve tous les concepts que vous avez à votre sujet. Vous faites une liste. Vous pouvez commencer avec votre nom : 'Je suis Bernard'. Puis, 'Je suis un père, je suis un frère', etc. Mais quoi que vous disiez, ce n'est pas ce que vous êtes. C'est l'un des rôles que vous jouez. Mais si vous continuez, une fois ces rôles et ces identités épuisés, vous pouvez vous trouver alors dans un état de non-connaissance. C'est l'état de doute dont nous parlons. C'est briser le conglomérat de concepts.

BERNARD GLASSMAN, *Instructions to the Cook*

CEUX QUI sont contre le meurtre, et qui désirent épargner les vies de tous les êtres conscients, ont raison. Il est bon de protéger les animaux, même les insectes. Mais qu'en est-il de ces personnes qui tuent le temps, de celles qui détruisent la richesse, et de celles qui assassinent l'économie de notre société ? Nous ne devons pas les oublier. Et aussi, qu'en est-il de celui qui prêche sans illumination ? Il tue le Zen.

GA-SAN in *The Perennial Philosophy*, A. Huxley

LA NAISSANCE est comme une personne qui dirige une barque. Elle prépare les voiles, prend le gouvernail, fixe le cap, mais c'est la barque qui la porte ; sans lui, elle ne peut avancer. En montant dans la barque, il fait de cette barque une barque. Nous devons considérer ce moment. À cet instant, il n'y a rien, sauf le monde de la barque. Le ciel, l'eau, et le rivage deviennent le temps de la barque, qui n'est jamais le même que le temps qui n'est pas de la barque. Par le même koan, la naissance est ce à quoi je donne naissance, et je suis ce que la naissance me fait.

JOAN STAMBAUGH, *Impermanence Is Buddha-Nature*

SI JE DOIS FAIRE l'expérience de 'l'infinité', ce sera dans la paume de ma main. Je ne vais pas l'éprouver en parcourant le monde parce que ce genre d'errance, si extensive, ne peut jamais donner aucune expérience de totalité. De même, si je dois faire l'expérience de 'l'éternité' ça va être dans une 'heure' (mieux, un moment).

JOAN STAMBAUGH, *Impermanence Is Buddha-Nature*

On considère que les vieux maîtres Zen chinois... voyaient toutes choses dans la nature en interrelation, et, ainsi, n'en voyaient pas certaines comme bonnes et d'autres comme mauvaises, ou certaines comme supérieures et d'autres comme inférieures. C'est tout à fait en accord avec la science moderne, grâce à laquelle nous pouvons dire que toute chose est ce qu'elle est et qu'elle est ici à cause de toutes les autres choses – et d'elle-même.

ERNEST WOOD, *Zen Dictionary*

Tao-Kouang : 'Avec quelle disposition d'esprit doit-on se discipliner dans la vérité ?'

Maître Zen : 'Il n'y a pas de mental à disposer, ni de vérité dans laquelle se discipliner.'

T. : 'Pourquoi y a-t-il une réunion quotidienne de moines qui étudient le zen, et qui se disciplinent dans la vérité ?'

M. : 'Je ne dispose pas du moindre espace, où pourrais-je avoir une assemblée de moines ? Je n'ai pas de langue, comment pourrais-je conseiller aux gens de venir à moi ?'

T. : 'Comment pouvez-vous me dire un tel mensonge en face ?'

M. : 'Alors que je n'ai pas de langue pour conseiller les gens, est-il possible que je dise un mensonge ?'

T. : 'Je ne peux suivre votre raisonnement.'

M. : 'Je ne comprends pas non plus.'

SURYANANDA, *Zen, le Visage Originel*

SOURCES

Anne Bancroft, *Mystics and Sages*, Heinemann, 1976
Anne Bancroft, *Zen : Direct Pointing to Reality*, Thames & Hudson, 1979
Anne Bancroft, *The Luminous Vision*, George Allen & Unwin, 1982
Anne Bancroft, *Spiritual Journey*, Element, 1991
Anne Bancroft, *Women in Search of the Sacred*, Arkana, 1996
Anne Bancroft, *The Buddha Speaks*, Shambhala, 2000
S. Batchelor, *The Faith to Doubt*, Parallax Press, 1990
Perle Besserman, *Crazy Clouds*, Shambhala, 1991
John Blofeld, *The Zen Teaching of Huang Po*, Buddhist Society, 1958
R. H. Blyth, *Zen in English Literature and Oriental Culture*, Hokusaido Press, 1942
Thomas Cleary, *The Original Face*, Grove Press, 1978
Taisen Deshimaru, *The Zen Way to the Martial Arts*, Rider, 1982
H. Dumoulin, *Zen Enlightenment*, Weatherhill, 1983
K. Durckheim, *The Grace of Zen*, Search Press, 1977
Eido Shimano Roshi, *Vent Doré La Liberté Zen*, Guy Trédaniel, 1994
Eido Shimano Roshi, *Zen Rinzai Point de départ*, Guy Trédaniel, 1995
M. Farkas, *The Zen Eye*, Weatherhill, 1993
Frederick Franck, *The Zen of Seeing*, Wildwood House, 1973
L. Friedman, *Meetings with Remarkable Women*, Shambhala, 1987

Bernard Glassman, *Instructions to the Cook*, Bell Tower, 1996
D. E. Harding, *On Having No Head,* Arkana, 1986
Eugen Herrigel, *Zen in the Art of Archery*, Arkana, 1985
A. Huxley, *The Perennial Philosophy*, Chatto & Windus, 1955
Joe Hyams, *Zen in the Marial Arts*, Bantam, 1982
Toshihiko Izutsu, *Toward a Philosophy of Zen Buddhism*, Université de Tokyo, 1977
William Johnston, *The Mysticism of the Cloud of Unknowing*, Desclee, 1967
William Johnston, *The Still Point*, Fordham University Press, 1986
P. Kapleau, *The Three Pillars of Zen*, Beacon Press, 1965
Kenneth Kraft, *Zen Tradition and Transition*, Grove Press, 1988
Lu K'uan Yu, *Ch'an and Zen Teaching, Série 1*, Rider, 1960
Lu K'uan Yu, *Ch'an and Zen Teaching, Série 2*, Rider, 1961
G. Kubose, *Zen Koans*, Henry Regnery, 1973
Bruce Lee, *Striking Thoughts*, Turtle, 2000
Trevor Leggett, *A First Zen Reader*, Charles E. Tuttle, 1960
Trevor Leggett, *Fingers and Moons*, Buddhist Publishing Group 1988
Trevor Leggett, *The Old Zen Master*, Buddhist Publishing Group, 2000
R. Masanuga, *The Standpoint of Dogen and His Treatise on Time*, Université de Tokyo, 1951
R. Masanuga, *A Primer of Soto Zen*, Routledge & Kegan Paul, 1972
D. G. Merzel, *The Eye Never Sleeps*, Shambhala, 1991
Thich Nhat Hanh, *The Heart of Understanding*, Parallax Press, 1988

Thich Nhat Hanh, *Being Peace*, Parallax Press, 1988
Thich Nhat Hanh, *The Sun Is My Heart*, Parallax Press, 1988
Thich Nhat Hanh, *The Diamond that Cuts through Illusion*, Parallax Press, 1992
Sohaku Ogata, *Zen for the West*, Greenwood Press, 1959
Paul Reps, *Zen Flesh, Zen Bones*, Penguin, 1972
Irmgard Schloegl, *The Wisdom of the Zen Masters*, Sheldon Press, 1975
Nyogen Senzaki, *Buddhism and Zen*, North Point Press, 1987
Nyogen Senzaki, *The Iron Flute*, Charles E. Tuttle, 1964
Sheng-Yen, *The Poetry of Enlightenment*, Dharma Drum Publications, 1987
Ninian Smart, *Background to the Long Search*, BBC, 1977
Robert Sohl, *The Gospel According to Zen*, New America Library, 1970
John Stambaugh, *Impermanence Is Buddha-Nature*, University of Hawaii Press, 1990
John Stevens, *One Robe, One Bowl*, Weatherhill, 1977
L. Stryck, *Zen : Poems, Prayers, Sermons, Anecdotes, Interviews*, Doubleday, 1963
Suryananda, *Le Zen, Le Visage Originel*, Guy Trédaniel, 1998
D. T. Suzuki, *Essays in Zen Buddhism*, Vol. 2, Luzac, 1933
D. T. Suzuki, *Studies in Zen*, Dell, 1955
D. T. Suzuki, *Zen and Japanese Culture*, Princeton University Press, 1959

D. T. Suzuki, *Manual of Zen Buddhism*, Grove Press, 1960
D. T. Suzuki, *Zen Doctrines of No Mind*, Rider, 1969
D. T. Suzuki, *Studies in the Lankavatara Sutra*, Routledge & Kegan, 1972
Kosho Uchiyama Roshi, *Approach to Zen,* Japan Publications, 1973
Alan Watts, *The Way of Zen*, Penguin, 1957
Alan Watts, *Beyond Theology*, Hodder & Stoughton, 1964
Alan Watts, *Does It Matter ?*, Vintage, 1971
Alan Watts, *Behold the Spirit*, Vintage, 1972
Middle Way, Journal of the Buddhist Society, Londres (trimestriel)
Claude Whitmyer, *Mindfulness and Meaningful Work*, Parallax Press, 1994
Ernest Wood, *Zen Dictionary*, Penguin, 1957